超自然变形动物图鉴

DEYROLLE

[法] 让－巴普蒂斯特・德・帕纳菲厄　文
[法] 卡米耶・让维萨德　图

樊艳梅　译

北京联合出版公司
Beijing United Publishing Co.,Ltd.

序

PRÉAMBULE

路易·阿尔贝·德·布罗伊（Louis Albert de Broglie）
戴罗勒（Deyrolle）商店店长

有关动物变形学最早的艺术表现之一，是来自法国肖维岩洞壁画中的女人 - 野牛像[1]，神奇的壁画描绘了被追捕的野牛将神力转移给人类的场面，而野牛是人类崇拜的对象。神话和变形故事早在 3 万多年前就出现在人类历史中了。

变形的过程本身很复杂，自然科学借助变形的力量赋予讲故事的人许多灵感，这一力量必然促使人类的思想不断进步，如此可以去想象各种离奇的故事。人们围坐在火边，老人给孩子讲述故事，这些故事既让人入迷又让人害怕。

若要了解这些变形——它们不一定可逆——我们必然需要一些阐释者、一些想象出来的图像，这样可以让我们深入理解这些变化状态的超自然原理。

正因为如此，让 - 巴普蒂斯特·德·帕纳菲厄把我们带到了奥林匹斯的山脚下，一切也许就是从那里开始的吧。泰坦神厄庇墨透斯是阿特拉斯的兄弟，也是动物的创造者，他轻率地把一切好的品质都赋予了动物，没有给人类留下任何东西[2]。他的兄弟普罗米修斯因此很担忧，为了弥补厄庇墨透斯犯下的错误，他决定把智慧赠予与诸神做斗争的人类。这反而使人类变得傲慢无礼，我们的祖先变得疯狂，他们竟敢与神争斗，试图打破已有的身份等级，不惜触怒众神，最终引发了全宇宙的混战，直到大地之神盖亚凭借自己的力量将一切恢复秩序。

这些神话，是我们共同文化遗产的一部分，有必要赋予其一种特殊的语言……那就是戴罗勒的插画。

戴罗勒是一个世界性的机构，在此次阅读之旅中，它将成为新的奥林匹斯。在这里，泰坦和诸神都将进入这个“怪味书屋”，呈现演化的过程，帮助我们理解奥维德[3]所讲故事的缘起，各种或短暂或持续的神奇变形的原因，这些故事来自格林兄弟、卡夫卡、巴勒夫[4]以及其他伟大的人物。普通的读者也能理解这个“怪味书屋”。

卡米耶·让维萨德的绘画具有魔力，在他的笔下，达芙妮、蛇女美瑠姬奴、狼人、蜘蛛女、青蛙王子再一次出现在我们现代

---

1 肖维岩洞的壁画中，有一幅绘制了一个女性的下半身及公牛的上半身。或许，在洞穴人的意识里，人的身体与灵魂界限模糊，而人与动物原本就可以相互转化。（本书注释均为译者注）

2 厄庇墨透斯，泰坦神族。在创造动物和人类的时候，厄庇墨透斯负责赋予动物以生存本领，他把勇敢赐给狮子，把快速奔跑的能力赐给兔子，把敏锐的眼力赐给老鹰，就这样一个个把所有好的才能给了动物，到最后，已经没有什么可以留给人类了。所以人类不是动物界最勇敢的，不是跑得最快的，也不是最强壮凶猛的；阿特拉斯（Atlas），同为泰坦神族，希腊神话里的擎天神。他因与宙斯作对，被宙斯惩罚用双肩支撑苍天。

3 奥维德，古罗马最具影响力的诗人之一，代表作《变形记》，全诗共 15 卷，包括约 250 个神话故事。每一个故事都始终围绕“变形”的主题，以阐明“世界一切事物都是在变易中形成”的哲理。

4 Vincent Barleuf（1611—1685），法国作家兼修道院院长，发表过《许久以来野鸭出入布列塔尼省蒙福尔城的真实故事及最新进展》，见第 26 页。

的世界中。

这些“动物变形学”内容如此丰富，让人震惊，在本书讲述的故事中，没有任何是偶然为之的。例如，我再一次想到了变成狼人的人，许多孩子都希望了解这种超自然变化，并且解释给自己的父母听。嗅觉神经的极大发展、耳朵的充分进化、绒毛的出现、骨骼的变化，这些都是关键的变化，就此创造了半人半兽的生命，它们有时完全是人，有时完全是兽。

如果想要了解生物样本内脏的复杂性及其演变过程，从插图和绘画着手是最为基本的方式。戴罗勒从奇幻动物插画集中得到灵感，构建了其独有的、关于生物解剖的百科全书，人们可以借助它了解变形的奥义。凭借这部著作，戴罗勒“科学地”掀起通向超自然世界帘幕的一角，它就像科学读本那般，向人们展现了变形中身体蜕变的每一个阶段。

让 - 巴普蒂斯特·德·帕纳菲厄和卡米耶·让维萨德将充满幽默感的文字和图画的力量结合在一起，让戴罗勒神奇遗产中的这些插图焕发出新的光彩，这份奇幻的遗产永远收藏了我们这个星球上生命的鲜活之态。

人与动物总是息息相关，这也提醒着我们基因杂交的危险性以及随之产生的局限性。对生命形态的跨越预示着，现在比任何时候都更有必要保护自然的平衡，人类应当理解处于不断完善、不断进化中的一切物种，包括其自然属性、形态学以及生物学属性。

这些戴罗勒出品的超自然版画是否会就此扮演起预言家的角色，预示那些“逾越人类规则的阴谋”的不攻自破？

那么你觉得生命是在变形还是在进化呢？

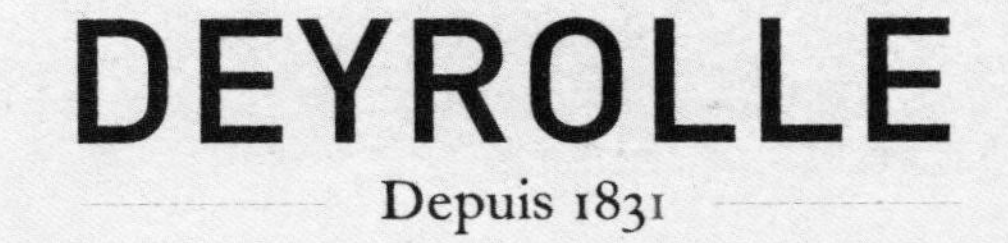

SOMM AIRE 目录

引言：变形的力量 08

第一章 神奇的变形

青蛙王子 18
甲虫格里高尔 22
蒙福尔的鸭子 26
乌鸦与猫头鹰 28
白鹿 30
苍蝇 32
母牛与公牛 36

第二章 简单的变形

猪 40
棕熊 44
旧石器时代的杂交动物 46
男人与女人 48
小虫子 50
达芙妮 52
蜘蛛 56
雄鹿 58
老鼠与黑猩猩 60

第三章 暂时的变形

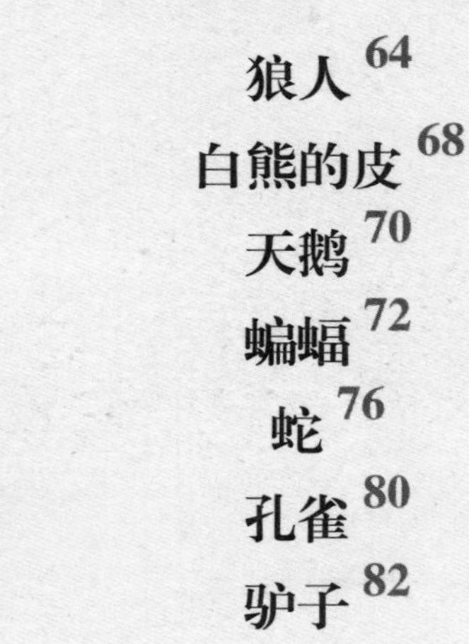

狼人 64
白熊的皮 68
天鹅 70
蝙蝠 72
蛇 76
孔雀 80
驴子 82

第四章 彻底的变形

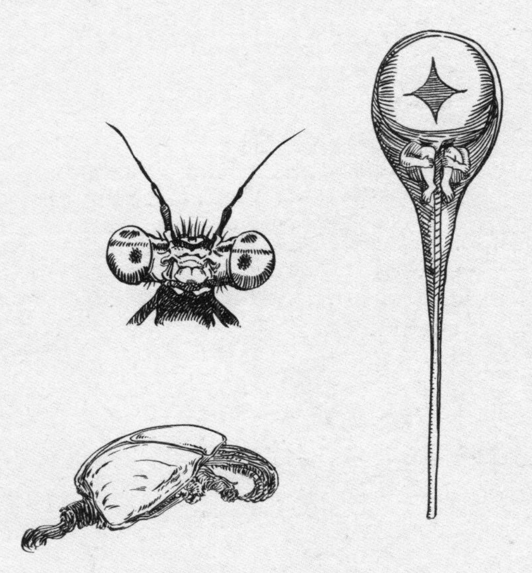

赭带鬼脸天蛾 86
蜻蜓 88
蜂与蚜虫 90
精子 92
茗荷儿 94
青蟹 96
天使 98

第五章 缓慢的变形

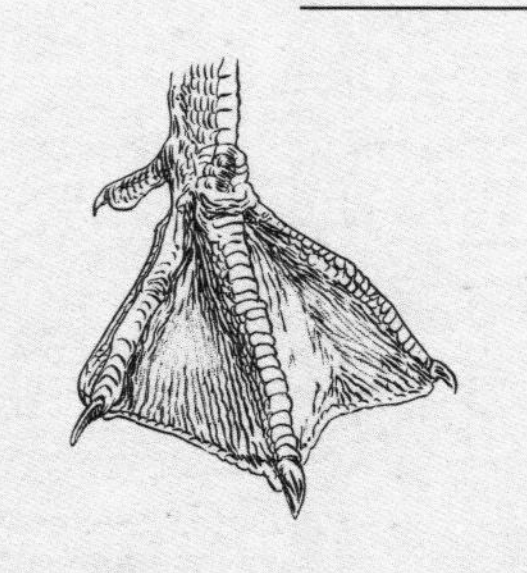

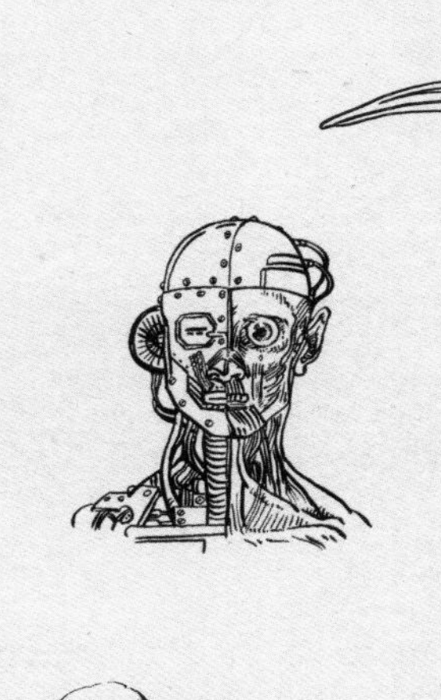

飞鱼 102
寄居蟹 104
马 108
鸭子 112
怪物与突变 114
家养动物 116
猴子 118
超人类 120
未来人 122

作者简介 124

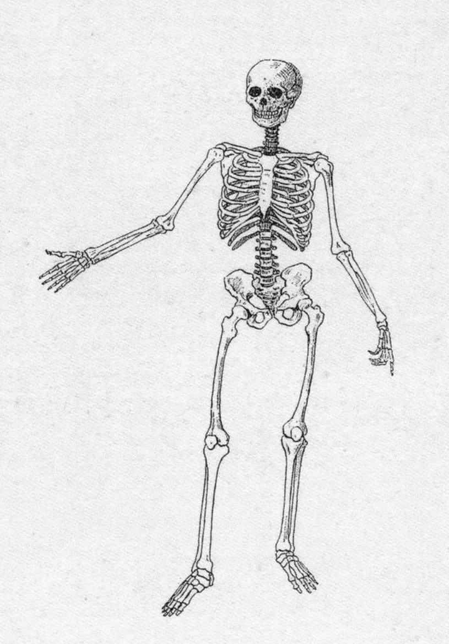

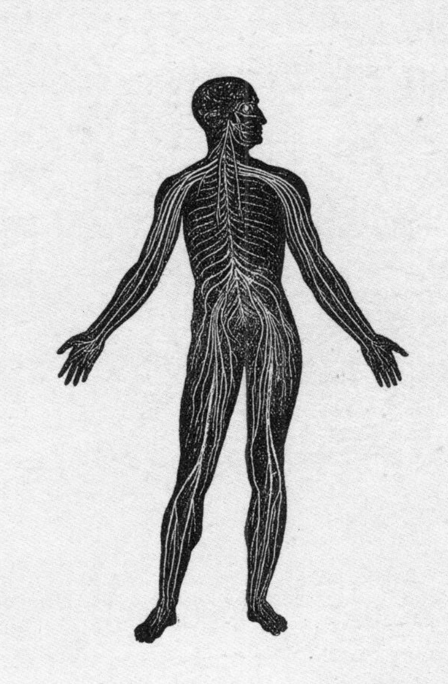

“某些偶然的开始最后却成了注定的结局；一切黄昏都是双重的，它是晨曦又是暮色。被我们称作宇宙的这个存在仿佛是一只神奇的蛹，它一直都在颤动，因为它既感受到毛毛虫的死去，又感受到蝴蝶的诞生。没有任何事物会彻底终结，一个事物在结束时往往孕育着另一个事物的开始，一切死亡都是新生。”

维克多·雨果，《哲学词典·前言》

引言：变形的力量

我们每一个人都曾经想象自己拥有另一个更加强壮、灵活、美好的身体，或者渴望换一个性别、身份。谁没有想象过自己变成鸟儿、海豚或者马呢？文学与电影讲述了各种各样不同的变形故事，这些故事曾让古希腊、古罗马人痴迷不已，现在同样也吸引着21世纪的青少年们。可以说这是一个在全世界都流行的梦想，从亚洲到亚马孙地区，从格陵兰岛到撒哈拉沙漠，而且大概自古以来都没有变过。

无论是宗教教化故事，还是充满象征意义的寓言，或者是诙谐的奇幻故事、自然主义的描写，抑或童话故事、动物学专著，变形记比比皆是。动物模样的神灵，变身为天鹅或者母牛的人，破茧成蝶获得新生的毛毛虫，这些生命都沿着一条不可逆的轨迹改变了自己的属性（除了神灵，因为它们并不严格遵循自然法则）。

借助变形我们逃离自己的生命，重新获得新的生命。某种界限被打破了，从此就可以用另一种方式看世界。翱翔于天际，畅游于大海，到处游走却不被人发现，拥有某种大型猫科动物的能力……这些都只是变形所能带给我们的诸多能力中的一小部分而已。

改变属性，这也意味着我们承认人与动物属于同一个宇宙、同一个生命世界。动物是另一种类属，但是变成它的模样就意味着我们与它之间存在某种关联。选择变成何种动物很重要，因为从中我们可以明白自己想在这种动物身上获得什么。某些动物充满了丰富的象征意义，并且随着国家与时代的变化而变化。

变形的过程与变形的结果并无关系，过程本身才蕴含着本质的问题。我们一生都在变化，有时变化得很迅速。每个人都记得自己的青少年时期，那是一段非常紧张的时光，充满了情感与回忆，之后的几十年里，这些痕迹都不会消失。然而，如果我们的变化如同毛毛虫的变形那般彻底，会怎样呢？变形是进入另一种生命，以另一种形式生活，这也就是宗教人士提出的对生命的考验：“改变你的存在，独自飞翔！”如果毛毛虫可以变成蝴蝶，那么人的变形究竟能发展到什么程度呢？

神话与自然

“哪一个爱在窗边叹息、爱做梦的女孩会真的愿意变成一只翱翔天宇的鸟儿，如果她必须像鸟儿一样吃下蠕虫、苍蝇、金龟子，喉咙里一直塞满这些东西？奇怪的是，她忘记了平时的憎恶。挥动的翅膀使女孩摆脱了人类的狭隘。”

亨利·米修，“记而不证”，《过往》

“如今事实比故事更让我们觉得有趣、神奇。一只毛茸茸的虫子变成一只闪闪发光的蝴蝶，这一变化至少同斐罗米尔[1]变成夜莺这一过程同样令人吃惊，但是也许更让人喜欢。”

贝尔纳丹·德·圣皮埃尔，《自然之和谐》，1815年

1 斐罗米尔（Philomèle），希腊传说中雅典国王的公主，被姐夫特鲁斯（Térée）强奸，并割去舌头，以免泄露秘密。斐罗米尔把这件事绣在一幅帷幕上，让姐姐普洛克涅（Procné）知道了，愤恨之下她把儿子杀死做菜给丈夫吃，丈夫发现后，拔刀要杀这姐妹两人。在这紧要关头，天神把特鲁斯变成一只戴胜鸟，把姐姐变成一只燕子，把斐罗米尔变成一只夜莺。

狭义上说，“变形”（métamorphose）与“变化”（transformation）是同义词（前者来自希腊语，后者来自拉丁语）。日常用语中，“变化”比“改变”（changement）有更多的意味，而“变形”的含义则更加丰富。“变形”意味着转世重生，呈现出新的外形。所以它包含着一种神奇的意味，或者说魔法色彩。中世纪末，这个词专指奥维德的《变形记》，这是一首创作于公元1世纪的拉丁语长诗，收录了源于希腊的神话与传奇故事。在中世纪时期的叙事中，如果一个人生成动物的样子，经常会使用muance、mutacion、transmutation、transformation[2]这几个词来意指。

至于博物学家，他们直到17世纪才广泛使用这个词。1590年，英国医生托马斯·穆非在其著作《昆虫或者最小动物的故事》中用这个词（拉丁语）来描写昆虫的“蜕变”。1669年，在法国，让·斯瓦姆默丹[3]的作品《昆虫博物志》被译成法文，“变形”这个词具有了相似的意义（虽然作者本人并不接受“变形”这一内涵，在他看来，这不过是一种“所谓的变化”）。

在2000年的漫长岁月中，奥维德的作品滋养了文学、绘画、音乐、舞蹈等多种艺术创作。我们可以在马基雅维利、拉封丹、费内隆、吕利[4]、达·芬奇、毕加索等人的作品中发现各种衍生的形象。艺术家、作家、哲学家都曾讨论过被神灵变成动物或者石头的人，而神灵也会通过变身来引诱人类或是拯救人类，但通常是为了对人类进行惩罚，因为他们道德沦丧或是狂妄自大。古希腊作家把变形视作魔法，对这一现象本身并不感兴趣。但是奥维德和他们不同，他细致地描写这些变形，就好像是他目睹了人类器官被动物或者植物的器官所替代，也因此赋予变形一种前所未有的真实感。

其他古代作家也十分迷恋这个主题，比如2世纪时，阿普列乌斯根据一则更加古老的故事创作了《变形记》，又称《金驴记》。民间故事也从丰富多样的故事中获取灵感，如凯尔特、日耳曼或北欧故事，最终，在这些民间故事之外，又衍生出更加具有文学性的作品，比如佩罗、多尔诺瓦夫人、格林兄弟等人的创作。当然也不能忘记欧洲之外其他地方的变形故事，比如《一千零一夜》、印度史诗或者世界各地的神话故事。

2 这几个词都有“变化”“变形”“变态”的意思。

3 Jan Swammerdam（1637—1680），尼德兰博物学家，最早在生物学中使用显微镜。

4 Jean- Baptiste Lully（1632—1687），法国巴洛克时期的作曲家、小提琴家。

19世纪，吸血鬼和狼人这两个主题得到了长足的发展。吸血鬼源于中欧地区的古老宗教信仰，它慢慢影响了小说创作，之后则是电影银幕。同样，狼人也没有料到自己会出现在一系列电视作品中，成为一种独立的题材。狼人的出现要追溯到奥维德创作《变形记》的莱卡翁国王统治时期，自16世纪开始，在主张反对巫术的作品中，狼人始终与女巫势不两立。因此，历史学家莱昂·梅纳布雷亚[5]才会在1846年发出这样的感慨：“如果把书写狼人的作品全部收集起来，大概需要十只骆驼来背负！”如今，变形依旧是一个丰富而有力的主题，卡夫卡的《变形记》、尤奈斯库的《犀牛》以及玛丽·达利耶塞克的《母猪女郎》都是相关题材的作品。

在这种变形中，动物有时只不过是一些简单的幌子，它们其实象征了人类的道德品质，尽管人的模样不复存在。有些作品这样描述神奇的变形：“……于是，青蛙变成了王子”，或者“朱庇特[6]把伊娥[7]变成了小母牛”。但是，这些变形完全不符合自然规律，蝌蚪变成青蛙，蛹变成蝴蝶，这些才符合常理。

但是，动物与人类之间又不是毫无关系的。童话故事里，有时叙述者会对变形后的动物的新特征或者需要产生兴趣：母鹿喜欢吃草，很难想象其原身公主会喜欢吃草。相反，真正的、可见的变形有时专指生命过程中身体的变化或者死而复生。就像博物学中其他种种现象，变形的前提是“相似性”，从而有可能构建一种不容置疑、自然而然的寓意。蛹变成蝴蝶成了形容人蜕变的一个平淡无奇的隐喻，就如同发芽的橡果最终长成了一棵橡树。

一直以来，博物学都很关注变形的种种问题，其定义远不是看起来那么简单。所以，要是用这个词来描述昆虫，意义就很清晰，昆虫会经历幼虫期、生长缓慢期，比如蝴蝶、蜜蜂或者金龟子。蛹这一过渡形式最终实现了从幼虫到成虫这一深刻的变化，很容易将其看作一种变形。动物学家也用这个词来形容蝌蚪变青蛙的这一过程，虽然这时的变化是持续不间断的，但是，从水域到陆地的改变与“彻底”变形的

5 Léon- Camille Menabrea（1804—1857），法国历史学家。

6 朱庇特（Jupiter），罗马神话中的众神之王，与希腊神话中的宙斯（Zeus）对应。罗马神话是在自己原有的古神话基础上，吸收了希腊神话中的许多内容发展而来的，罗马人通过改换希腊神话中一些神的名称（如把宙斯改名为朱庇特）塑造了自己心目中的神，故本书作者引用不同典故时会出现“朱庇特”或“宙斯”两种名字。

7 伊娥（Io），罗马神话中国王伊那科斯的女儿，因美貌被朱庇特看中，朱庇特为瞒过妻子，把伊娥变为一头白色的小母牛。希腊神话中也有此人物。

昆虫十分相似。

事实上，任何动物或者植物的生长都意味着一种变化，因为成长的生物自然会改变自己的外貌。如果从本源说起，也就是说从卵开始，变形必然会发生，因为没有任何动物会保持最初的样子（某些单细胞动物可能除外）。而且，我们经常能看到许多明显的变化，无论是在卵内还是卵外。因此，无数甲壳类动物在出生后会经历许多变形，这些变形在很长时间内不为人所知，因为它们都发生在海洋深处，在微型动物中间。人类的胎儿与婴儿差别也很大，所以我们也可以把胎儿的成长看作变形。

但是，我们一般都用这个词来专指在自由状态下而不是在卵内或者在母体内实现的深刻变化。动物的结构必然会发生改变，比如它们长出了脚或翅膀，或失去了某些组织器官。这种变化经常伴随着某种生命形态以及行为状态的改变。大部分动物都可归入其中，但是各自的变化过程又都迥然不同。以前，我们以为经历过变形的动物是"完美"的，比如，蝴蝶与毛毛虫相比，幼虫的状态一般被看作一种低级的生命状态。其实，幼虫有时比成虫拥有更加复杂的组织器官，比如某些寄生虫，它们变形之后就像装满卵子或者精子的袋子。

变形可以在某个阶段完成，比如破茧成蝶的蛹，或者以更加缓慢的过程实现，比如甲壳动物脱壳。脱壳与变形很相似：螃蟹从它以前的壳里脱离出来，就像蝴蝶破茧而出。以前我们通常把"变形"与"脱壳"这两个词对立起来，但是如果考察螃蟹的一生，脱壳显然也属于一种变形，只不过分成好几个周期。

但是，我们不会用"变形"这个词来描述动物季节性的变化，有时这种变化非常神奇，通常与它们的交配繁殖有关，比如鹿角的脱落与再生长或者雄刺鱼变红。不过，有些生物学家也会用这个词来形容鳗鱼的变化，它在某个阶段会变色，即游入大海繁殖前的一段时间。这一微小的变化是因为甲状腺激素的影响，就像蝌蚪的变形一样，它会促使鳗鱼离开池塘，穿过坚硬的泥土，最后到达河流。与鹿角的脱落不同，鳗鱼的这一变化是不可逆的，但是，并不是那么令人惊奇。

我们并不关注动物季节性的换皮、换毛、脱壳或者从幼年到成年的变化。这些外貌的变化并不触及它们身体结构的改变，所以与朱庇特的变形相似。朱庇特为了引诱勒达变成了天鹅，也可能是白熊，一旦他回到家就会脱去自己的皮毛再次变成人形，就像北极神话中那样[8]。讲故事的人有时会把"乔装打扮"视作一种暂时的变形。

同样，动物学家通常不会把性别的变化看作"变形"，这在鱼类中很常见，而且这种变化有时也伴随着外貌形体的改变。鲃是一种生活在欧洲海滨的小鱼，当它变成雄性时，会呈现出火红的颜色，我们把它叫作皇家鲃，而浅颜色的雌性鲃则被称作普通鲃。但是在奥维德的作品中，从男人变成女人显然属于一种变形。尽管有许多共同点，但这个词在大自然与文学作品中的意思并不完全一样。

其他形式的变形

当然存在着其他形式的变形。在奥维德的作品中，卡丽斯托变成了大熊星座（在此之前先变成了动物）。《圣经》中，上帝使摩西的木杖变成了蛇，使罗得的妻子变成了盐像。布列塔尼的民间故事充满了人、精灵或者魔鬼变成石头的情节。此外，还有南瓜变成马车的故事（最后马车又变成南瓜）。炼金术最基本的一项任务就是转化各种金属物质，炼金师认为这也是一种变形，就像毛毛虫变成蝴蝶一样。我们也可以在圣餐变体这一过程中看到一种变形。在天主教中，祭祀的圣餐"真真切切地"变成了耶稣的血肉之躯，并且与原来的模样不差分毫。在这本书里，我们只研究人类本身以及真实的活生生的世界。事实上，如果人类不介入其中，变形就是一种神秘的现象或者奇迹，只是表现了精灵或者神灵的力量。相反，人变成动物或者动物变成人，则揭示了其一种自然本性。

变形的类型

"你认为上帝是一个魔术家？他狡猾多端，能够以各种不同的形式出现。有时，他以真身出现，只是把自己的脸变成各种不同的样子，有时他会欺骗我们，只以不真实的影子示人。"

柏拉图，公元前4世纪

8 在北极地区的因纽特人的传说中，白熊回到家后脱下自己的皮毛，就可以变成人。本书第三章"白熊的皮"一节中有相关介绍。

“人类的变化通常是指在其外形上增加什么东西；对于自然界的生物而言，则是减少；人类喜欢隐藏自己，而动物则喜欢暴露自己。因此，我们可以认为，社会教会了我们恶习与狡诈，而自然呈现的则是纯粹而诚挚的真实。自我伪装后，人类越来越低级，越来越堕落；但是相反，动物通过不断的变形，最终抵达的是一种完善。”

《博物词典》，1817年

如果我们采纳博物学家看待变形的观点，必然要提出许多问题：谁引起了这样的变化？谁在变化？这一变化是如何进行的？最终的结局是什么？换言之，变形总有原因、开始与结束，而且总是遵循某一规律慢慢发展。

变形的原因有时是内在的，就好像是一种我们无法抗拒的力量，或者它只是属于生物正常发展的某个阶段。但是，它通常是因为神奇、神圣或者可怕的外部意志而真正开始。奥维德描写奥林匹斯的神经常滥用变形，以实现他们的目的：艰难的复仇或简单的淫欲。他们强加给人类的变形一般都是惩罚，但也可能是为了弥补他们自己犯下的过错或者是让人遭受另一个神的戏弄。

很难弄清楚人们究竟在何种程度上相信这些变形的真实性。也许他们倾向于认为这些变形都只是发生在古代，在他们生活的时代则不是那么常见，就好像西伯利亚的通灵者令人想起他们先人的神奇力量，但人们又认定这些奇怪的变形在如今肯定不可能存在。某些变形在大部分人看来一直都是真实存在的，尤其是那些由巫师施展的变形。教廷的教士强烈反对这些观点，反对他们亵渎神灵的目光，但是所有人都在其中看到了藏在人类侍从背后的魔鬼之手。巫师施展变形的方法多种多样，一般是涂上香料或者喝下植物的汁液。

狼人的传说非常普遍，甚至教廷的人员也相信。在他们看来，这肯定是因为魔鬼在作怪。但是人变成狼有时只是因为某种不幸：七个孩子，如果没有女孩，全部是男孩，那么第七个孩子必然会是狼人——除非父母实施补救的方法。而时代不同，方法也各不相同。中世纪时期，有关狼人的传说中很少提及满月，但是到了19世纪，满月这一现象变得非常重要。文学作品中描写的变形的原因则更加丰富，最常见的就是精灵的诅咒。例如，《林中鹿》中，德熙蕾公主在16岁之前绝对不能见到阳光。但是由于身不由己，未能严格遵守这一要求，她变成了鹿。格林兄弟的作品中，公主必须把青蛙扔到墙上才能使它恢复人形。尤奈斯库的戏剧中，人们因为传染病都变成了犀牛，而卡夫卡笔下的格里高尔则毫无理由地变成了甲虫。

在博物学家看来，变形的过程向来都很值得观察，就好像蜻蜓慢慢地从若虫的壳中飞出来（幼虫之前一直都在壳里变化），或者蝌蚪身上新器官逐渐出现，旧器官逐渐消失。神话故事中，换皮肤就像是换外套一样，简单又迅速。青蛙、天鹅、熊和狼通常会在这些描述外形变化的故事中出现。

17世纪初，法官皮埃尔·德·朗克预审了一起狼人案件。由人到狼这一变化被认为是可怕的变形。人之所以变成狼，是由于某些象征性的原因，同时也是因为身体的大小——要是换成猫就太小了。如果变形前的身体与变形后的身体大小、形态相似，那么变形就更加容易想象：人与狼、熊非常相似，无论是样貌还是体形，因此变形也就显得非常自然。童话故事则很少关注这一点，经常可以读到人变成青蛙、鸟儿，甚至苍蝇的故事。

至于刚刚说到的这种情况，又会引申出其他问题，比如，从人类内骨骼到昆虫甲壳类外骨骼的变化。无论是从结构上看，还是从化学上看，这种变形都太复杂了。我们也可以思考一下，蜘蛛侠是从哪里获取了蛋白质，从而生出蜘蛛丝使自己能沿着墙壁攀爬。大自然中有一种热带多足虫，叫作栉蚕，它会使用同样的方法捕杀猎物，即吐出黏黏的丝（大约几十厘米长，视猎物的大小决定）。成功后，它开始享用猎物，连同丝一起吃下去，这样就能保证以后可以继续吐丝。看起来，我们的美国英雄应该不会把丝再吃下去。

变形有时可能是短暂的，甚至可以说是带有魔法性的，比如青蛙变成王子，或者卡夫卡笔下的主人公清早醒来变成了一只可怕的大甲虫。而在大自然中，这些现象对应的是一些伪装行为，比如孔雀开屏，改变自己的模样和颜色；或者极乐鸟为了吸引雌性，露出乌黑的脸、两只小小的白眼，以及下面一张荧光蓝的大嘴巴，这些变化当然是可逆的。

变形也可能是缓慢的，有可能被人细致地描写下来，比如可怜的伊娥被宙斯变成了小母牛，或者满月的晚上出现的狼人。有时还有更加缓慢的变形，比如蝌蚪变成青蛙，或者电影《变蝇人》中的男主角慢慢显示出了自己的动物特性。如果变形发生在茧中，就会被遮掩，保护壳中最终会出现怎样的东西总是留有疑问。

变形有时会揭示出当事人的性格，比如莱卡翁国王，他的残酷与最后变成的狼的个性相似。天主教就是遵循这一方法赋予奥维德的《变形记》以“道德的意义”。奥德修斯的水手们因为贪吃变成了猪。中世纪时期的象征意义对于变形的方向发挥了重要的作用：梅林变成鹿是大家都接受的，因为这种动物被看作一种重生的象征（因为它每年春天都会长出新的角）。而变成蛇这一现象则相反，它象征着被魔鬼控制，从蛇女美瑠姬奴到《哈利·波特》无不如此。

通常，变形者原先的性格和能力都会保存下来，至少部分会保存下来。奥维德认为，即使变成了牛的样子，伊娥的美貌依旧；阿拉克妮变成了蜘蛛，她的编织技术却更加精湛了；变成鹿的公主虽然吃草，但是依然按照人类的逻辑行事。再说，如果意识消失了，那么变形的意义又何在呢？人不过成了众多不起眼的动物中的一个，更谈不上还会有什么故事了！我们可能会根据选择的动物衡量变形这一行为的好处与坏处，但是过去，沦落为动物从来就不是什么好事……

变形者可能会遗忘最初的状态，这就会使灵魂转世的设想化为泡影，有时人们也会把灵魂转世看作一种特殊形式的变形。一代代，灵魂从一个身体到另一个身体，从一种生物到另一种生物，必须保留前世的回忆才有可能不断改善自己，因为这也正是漫长的轮回的目的。

另一种失去记忆的变形是僵尸，并不是指现代意义上食人的活死人，而是指传统意义上伏都教的巫师让病人昏厥过去，然后把他变成一个没有记忆、没有意志的傀儡。

青蛙是否会记得自己曾经是蝌蚪呢？在动物世界中，也有相同的问题，但是动物生态学家目前还没有找到答案。的确，这些动物中的大部分都是昆虫或者甲虫，它们的行为举止本质上都是基因决定的。

变形的意义

“人类认为，借助某些女性的魔法以及魔鬼的力量，人可以变成狼或者马，但是保留着一切必要的东西，之后他们可以再次恢复原形，他们的思想从来不会变得愚钝，而是始终保持着人类的思想与理智。”

约翰·维耶尔[9]，1569 年

“欧洲是不是有很多王子都更希望大家相信他们其实是熊或者狼的后代，而不是某个裁缝或者面包师傅的后代？但是，在我看来，裁缝、面包师傅远胜于熊与狼。”

德·圣富瓦[10]，1757 年

如果说变形的原因对于变形者本身而言通常没有什么疑问，那么对于读者而言，它的意义有时则非常晦涩。奥维德的作品中，某些变形有助于用来解释我们生活于其中的世界或者诸神所干涉的世界。达芙妮的故事告诉我们月桂树的起源以及这种植物为什么是阿波罗的象征。密耳拉[11]因为自己犯下乱伦之罪，被罚无休无止地落下芬芳的泪，这就是没药。但是这件事也同人类的（神的）狂热的情感不无关系，对于权力的执迷、荣誉、爱，或许还有性。朱庇特的大部分变形都是为了更容易地去引诱别人，虽然无论怎样的方式都是有些暴力的。

童话故事里也是如此，心理分析式的阐释会强调它们的象征功能。童话故事经常被认为描述了从童年到成年的过渡，重点突出其间受启悟的仪式以及危险或者禁忌。从这一观点看，许多变形总是与婚礼或者性联系在一起，也就不让人觉得吃惊了。为了找到公主的金球，格林兄弟描写的青蛙要求与她一起睡，并且睡在她的床上。在多尔诺瓦伯爵夫人所写的童话中，只有等王子砍了小白猫的脑袋和尾巴，使其鲜血直流时，它才变成了一个女人。

有些人甚至能在每种变形中都看出对乱伦的警惕。通常出于父亲的压迫，少女必须嫁给某种动物，当她通过一系列考验后，这只动物就会变身。伴侣的动物属性意味着，他们属于不同形式的生命，他不属于她的家族，而她必须接受这种差异性的结合来避免乱伦。这种解释一般都站不住脚，尤其有人已经提出了截然相反的观点：动物模样的丈夫事实上可能意味着男性内在的兽性，社会习俗则会使其远离这种兽性。变形也就意味着驯服了我们人类自身的动物性。

中世纪基督教认为，变形是一种异教徒的迷信行为。相信它的存在意味着对神的亵渎，因为只有上帝才能够改变其创造的生命的外形。这种观点一直都是之后其他宗教信徒的观点。因此 1545 年，皮埃尔·魏雷牧师创作了《基督教的变形》

9 Johann Wier（1515—1588），荷兰医生，反对迫害巫师。

10 M. de Saint- Foix，即 Germain- François Poullain de Saint- Foix（1698—1776），法国作家、戏剧家。

11 Myrrha，字面意思为“没药”，希腊神话中的塞浦路斯公主，美少年阿多尼斯的母亲。

一书来反驳“巧言令色的诗人”的“错误与谎言”，甚至可以说是“诽谤”。比如奥维德或者阿普列乌斯，他们所写的《变形记》在他看来“与任何理智以及上帝设立的自然法则都相违背”。他给我们提供的答案是：“要么是意志薄弱，要么是可怕的幻象！”

在他那个时代，巫师可能变成猫或者公山羊，这一现象尤其吸引了神学家的注意。荷兰医生约翰·维耶尔认为，女巫其实自己无法变身，她们只是受到魔鬼的蛊惑编造了这些故事。他甚至是最早从这一现象中发现“体液失调”“想象失控”等症状的人之一。魔鬼唯一的权力就是让他们相信这些幻象。他奋起反抗对女巫的残酷迫害，认为应当把她们看作“受魔鬼蛊惑而发疯的可怜人”。

相反，魔鬼学家兼法学家让·博丹同样是在16世纪明确指出，人们认为女巫身上发生的变形——她们在酷刑之下也承认了这些变形——是真实存在的。他认为，鉴于许多人都曾亲睹变形的发生，这种现象就不可能只是一种单纯的编造：“如果人类的确能够把玫瑰嫁接到樱桃树上，把苹果嫁接到白菜上，把铁炼成钢……那么我们会对撒旦把人变成某种动物这种现象感到奇怪吗？”博丹嘲笑了威尔的逻辑，控告他是魔鬼的司法主管，并把他喊作“异端分子威尔”，这可不是一种普通的控诉，那时候整个欧洲有好几万巫师、巫婆被活活烧死。

如果教廷的大部分神职人员都拒绝相信一个巫婆能够变成动物或者以同样的方式把她的邻居变成动物，那么，童话故事则越出了宗教的条条框框，再次呈现前基督教时期的古老传奇故事，里面充满了天鹅女、狼人等形象，同时不拘一格地把引诱者的魔鬼形象以及保护者的圣人形象加入其中，赋予这些故事以现实意义。

2450年前，希罗多德如此描述希腊人的邻族：“每个内利族人[12]每年都会有几天的时间变成狼，之后又会恢复原形。”地理学家自己讲述了这个故事，却嘲笑希腊人和斯基泰人到处传播“相同的故事”。有些作家认为，这个“故事”可能只是对变形仪式的一种不实描述。在这些仪式中，年轻人会披上狼皮，以期获得捕食者的能力，这些能力对于猎人来说非常重要。

这种现象可能也会让人想到17世纪之后，欧洲旅行者描述的西伯利亚的萨满教仪式。萨满认为，头戴动物面具或身披动物皮毛是获得另一种身份的方法，这种身份与他自己的身份是一体的，而不是对其的取代。在某些时候，他会像动物般行事。与其他变形不同，他并不会改变体貌，而是改变自己的灵魂。如果一个因纽特猎人赠予被他杀死的一头白熊一件礼物，是因为他承认自己与白熊是友人，甚至是亲人：熊和人都以同样的方式狩猎、吃东西、行事。他们如此相似，所以从一方到另一方的变形就显得很自然。

阿尔芒·德·卡特勒法热[13]于1862年创作了《人与动物的变形》。在书中他区分了动物世界中不同的变化形式：他把在胚胎中或者出世之前的整个过程叫作“变化”，而用“变形”这个词专门指“出生后发生的变化，这些变化会深刻改变人的一般体貌以及生命的类属”。而且他提出了一个新的名词——“世代变化”，特指“世代交替过程中的变化”。这个词与拉马克[14]所提出的“种变说”或者博物学家吸取达尔文的理论开始使用的“进化论”是同义词。

变形与进化之间的关联并非新鲜事物，有时它出现在最令人意想不到的地方，例如，1996年以来进入游戏领域的《宠物小精灵》。因为反对传播进化论，沙特阿拉伯以及美国堪萨斯州禁止了这款游戏。虽然这些可爱的小怪兽在游戏中以“进化”著称，但它们其实不过是变身而已！

“真正的”事实是，两栖动物的变形通常被描述为鱼类（例如腔棘鱼）在其进化过程中，从水生向陆生转变的一种个体蜕变。它们的进化持续了数百万年，就发生在泥盆纪时期（距今4.19—3.59亿年）。这一观点由海克尔提出：“个体的变化最终导致种系的变化。”但是这一观点只是对真实的一种粗糙概述，要是针对青蛙这样的动物就不太准确了。事实上，前面所说的鱼类与蝌蚪完全不同，早期的两栖动物根本就不是指青蛙。然而，其他动物却更加准确地证明了这一观点。

扁平的鱼，比如舌鳎鱼和大菱鲆[15]，身体是不对称的，两只眼睛长在同一侧，这与它们的生活习惯相符合，因为大部

12 Neure，内利族是希腊神话中住在黑海边斯基提亚北部的狼人族。

13 Armand de Quatrefages（1810—1892），法国生物学家、动物学家、人类学家。

14 Jean- Baptiste de Lamarck（1744—1829），法国博物学家，19世纪初，他对无脊椎动物进行了归类。他是最早使用“生物学”这个词来指称研究生物体的科学的理论家之一。他也是提出生物体的物质主义与机械主义的第一人，并在此基础上构建了进化理论。

15 大菱鲆，硬骨鱼纲，鲽形目鲆科，俗称欧洲比目鱼，在中国被称为“多宝鱼”“瘤棘鲆”。

分时候它们都侧躺在海底深处。但是它们的幼体与其他动物一样，身体都是对称的，两只眼睛分布在脑袋两侧。当这些小鱼生活在水中时，因为甲状腺激素的影响，会慢慢发生变形（就像两栖动物一样），其中的一只眼睛好像慢慢移动到了身体的另一边。这种表面的移动其实是因为脑袋与身体不同程度的发育。因为大脑总是与眼睛相连，所以大脑、头骨以及肌肉组织都发生了变化。古生物学家找到了所有过渡阶段的鱼化石，这可以解释变形中每个个体的变化。

有时我们会认为变形在进化中具有更加重要的作用。比如，我们想象一下，某些重要的变化可能会产生与父母完全不同的生命体，比如一代人与一代人之间的变化。所以，亨利·乐维图在 1871 年如此说：“尼安德特人的化石也许只是现代人的一个雏形。”现在我们已经清楚尼安德特人并不是人类的祖先，虽然我们身上可能具有尼安德特人的某些基因。同样，生物学家理查德·高兹施密特在 1940 年提出“有希望的怪物”可能意味着新物种的诞生。

1790 年德国诗人歌德出版了《植物变形记》一书，在这部科学著作中，诗人提出“重新认识最基本的力量，大自然使用这力量使某个身体组织慢慢发生了变形”。在他看来，树叶的变化会导致花瓣的变化以及花朵繁殖组织的变化。歌德认为，变形可以使得我们理解物种之间如何既彼此相似又彼此区分。

“它们的样子彼此相似，但是没有任何两个完全相同。这就是为何它们之间的和谐让我们想到一种秘密的法则。”

未来的变形

“我的皮肤松弛。啊，这具惨白的身体长满了毛！我真希望我的皮肤能更加坚硬一点，颜色是那种美丽的深绿色，端庄的裸体，没有毛，就像他们那样！……唉，我是怪物，我是怪物。唉，我永远都没法成为一头犀牛了，永远，永远！我再也不能变形了。我真想变，我好想变成那样，但是我变不了。我再也不想看见自己了。太可耻。我可真丑啊！”

尤奈斯库，《犀牛》，伽利玛出版社，1959 年

虽然变形似乎是一种幻象，但是它一直是生物学家重要的研究对象，外形的变化是多么令人吃惊的现象，不管我们参照多长的时间段：个体在几天内或者几年内发育、变化，人类、动物在几千年里或者几百万年里变化。

没有变化就没有生命。童话故事、神话故事中的变形向我们揭示了我们自己的变化，或者说让我们相信这些变化是可能发生的。对于讲故事的人而言，一切都是有可能的，但是他所提出的想象的变形也向我们展示了我们的动物本性，这是我们身份的一部分。

如果变形不是偶然发生的，那么它可能就属于生命发展的某个必经阶段，比如毛毛虫变蝴蝶。哪怕蝴蝶不如毛毛虫那么“完美”，但是它赋予了下一代生命。从这一角度看，变形通常并不是生命发展的断裂，而是一种完善，一种向着高级阶段发展的过渡。正是在这一动物原形的基础上，博物学家路易·费吉埃[16]在 19 世纪提出了人类死后会化身为天使这一观点！

如今，生物技术、信息技术、神经科学的发展使我们渴望一种新的变形。借助于医学与技术的合作，超人类主义让我们相信，人类即将进入进化的新时代，即出现一种“强化人”，他拥有超能力，并且完全可以借助干细胞进行自我修复。这一观点一经宣扬就引起了众多哲学家以及生物学家的关注，有些人更加深入地挖掘其可能性，有些人强调其风险以及潜在的嬗变。超人类主义从奥维德那里继承了一种愿望，即获得本来只属于动物的新能力，从费吉埃那里继承了对于永生的期待。就像曾经一样，变形告诉我们自己可能变成什么样——超人类或者天使！

16　Guillaume Louis Figuier（1819—1894），法国作家、科普学家。

A. 孵化

B. 毛毛虫

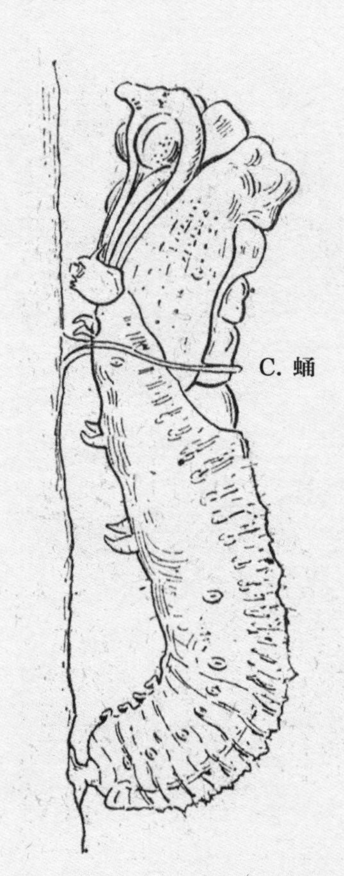

C. 蛹

D. 蝴蝶开始破茧

E. 蝴蝶成虫

蝴蝶的变形。从毛毛虫变成蝴蝶是所有变形的原形，无论是真实的还是想象的。

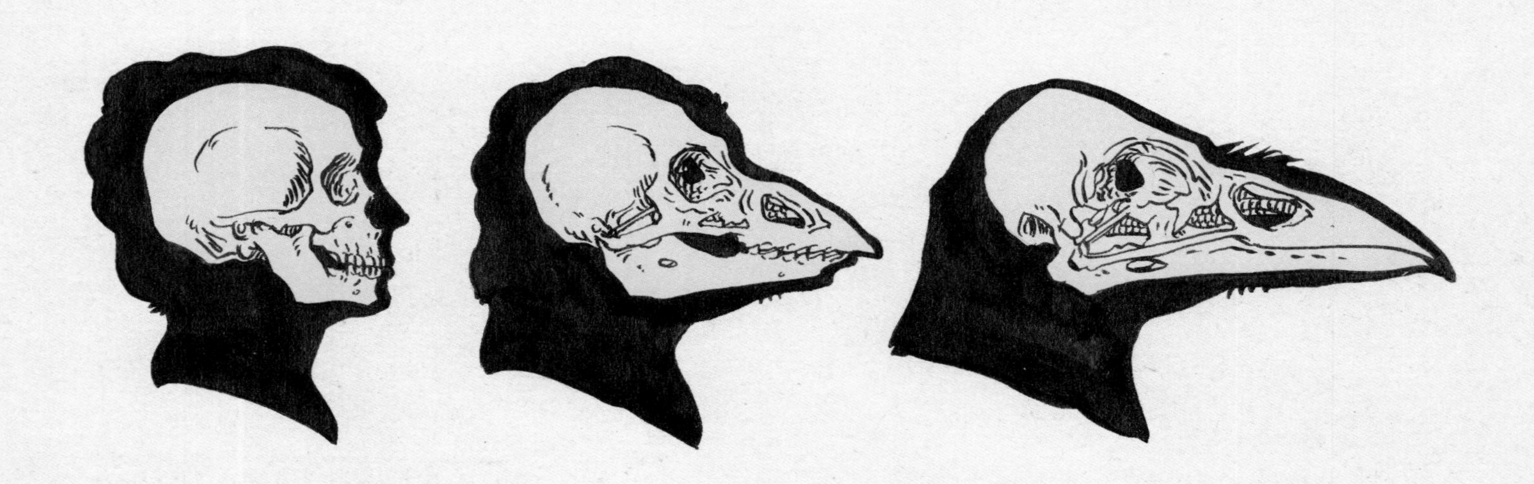

第一章

MÉTAMORPHOSES MAGIQUES

—

神奇的变形

惩罚或者诅咒、魔法或者神的干涉，这些变形都是在瞬间完成的，就像是施了法术。变形的过程却无法观察清楚，变形的结果也往往不可预测。

青蛙王子 18
甲虫格里高尔 22
蒙福尔的鸭子 26
乌鸦与猫头鹰 28
白鹿 30
苍蝇 32
母牛与公牛 36

变身成青蛙！这是说给孩子们听的一个经典童话故事。但这也是一件寻常事，因为全世界的蝌蚪都会经历这一变化！

青蛙王子

两栖动物王子

青蛙变成王子，故事很普通，至少在童话里如此。但是因为这涉及动物的变形，就它的性质进行追问倒也合情合理。

首先，王子真的是青蛙吗？法语中，阴性名词很少会变成阳性名词[1]。当然，青蛙也有公的（在这一故事中，肯定是一只公青蛙），但是词性自然让人想起阴性。如果是癞蛤蟆，这一疑问就不存在了，但是这两种动物并不相同。青蛙活泼，甚至可以说亲切，并不是一种让人讨厌的动物。我们描述它时，通常说它有着碧绿（可能是和一种与它相近的动物，即雨蛙，搞混了，但是这并不涉及类属的变化）而光滑的皮肤。但是相反，对于大部分读者而言，皮肤粗糙、体形肥胖的癞蛤蟆真的让人生厌。

奇特的蛙脸孩童像（法国病理学家昂布鲁瓦兹·帕雷，《怪物与奇物》，1573 年）。

关于这一变形最有名的童话故事是格林兄弟所创作的《青蛙王子与铁胸亨利》。在原来的版本中，主人公是一只青蛙，即 Frosch，德语中这个词是阳性，而德语中的癞蛤蟆一词 Kröte 则是阴性。在格林兄弟所写的另一个童话故事《女水妖》中，我们看到一个男人变成了一只青蛙，而他的妻子则变成了癞蛤蟆，在德语语境中，这对混配的夫妇相比在法语中要更加登对。在一个布列塔尼故事《蛤蟆人》中，王子以癞蛤蟆的样子出现，这听起来就不那么出奇。这只癞蛤蟆从一个男人的脸上看出自己深受厌恶，只有和这个男人的女儿结婚才能摆脱自己的坏名声。

《青蛙王子》这个故事另一个有趣的地方在于发生变形的原因。提及此，我们马上就会想到公主献给青蛙的吻，并

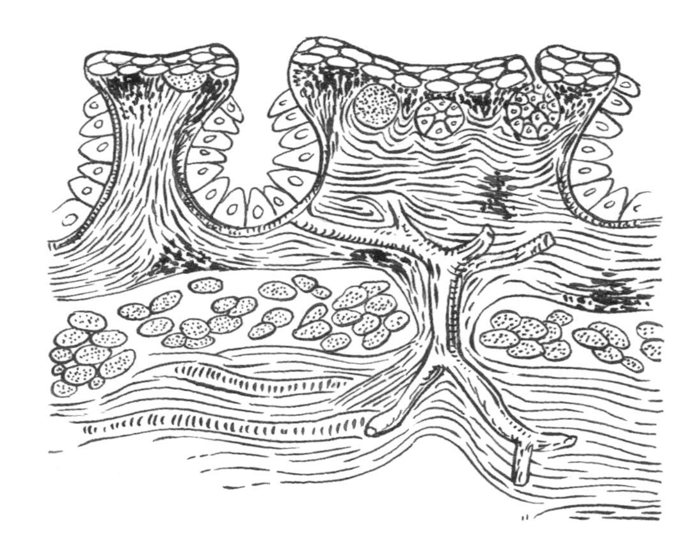

青蛙王子腺状表皮组织切片的部分图。腺的大小决定了被亲吻后瞬间的变形。

1　法语中，“青蛙”（la grenouille）是阴性名词，“王子”（le prince）是阳性名词，“癞蛤蟆”（le crapaud）是阳性名词。

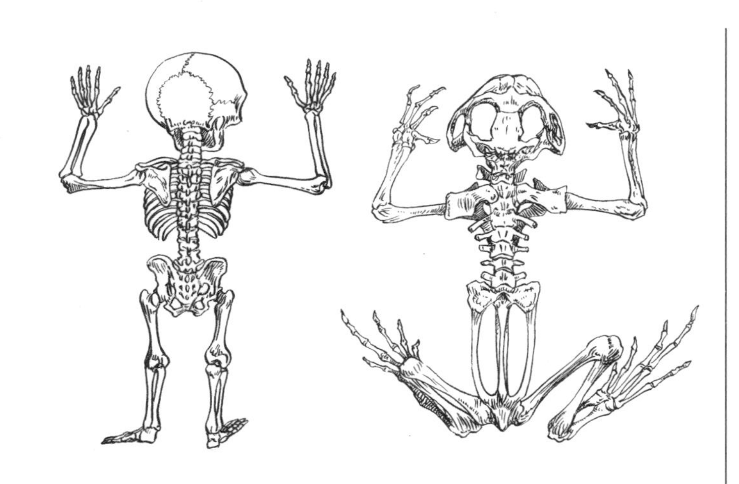

变形过程中，头骨、肋骨、骨盆都发生了很大变化。除脚以外，手臂和腿保持了原来的大小比例。

且很容易从这一情节中发现某种寓意。就像《美女与野兽》的故事一样，劝诫人们要宽容、忍耐，不要因为外表而沾沾自喜。有些人甚至从中读出了某种对乱伦的抵触，故事鼓励年轻的女读者在自己的家族之外寻找伴侣，但是故事最初的版本并不是这样的。青蛙在公主同意躺在床上、睡在它身边后，要求她遵守诺言。发怒的年轻女子则把它摔到了墙上，并且大喊："现在，你可以好好休息了，丑八怪！"但是她如此粗鲁的行为却换来了一个英俊的王子！在一个更加古老的苏格兰故事中，一只癞蛤蟆向公主保证，如果她砍掉它的脑袋，它就会变身。可见，更多的时候，变形是由暴力而不是爱所引发的。

《格林童话》1812年初次出版后，故事的再版与翻译都缓和了原先的一幕，它们都用亲吻来改变人物的命运。有时这个关于变形的问题甚至完全被省略了，比如1837年这一译本如此写道："第二天公主醒来时，惊呆了，因为她看到了一位英俊的王子，而不是一只青蛙，那位王子正用世界上最美丽的眼睛注视着她。"

在格林兄弟的故事中，也没有写到变形的过程：原先是一只青蛙，现在则成了一位王子，站在女孩的面前，就好像被施了魔法一样。我们可以想象一团云雾，或者一道神奇的光，它们掩盖了整个变化过程，让一切变得顺理成章，但是作家们并没有使用这种手段。

其他的故事有时会提供一个简短的描写，虽然不是准确的解释，比如：青蛙脱掉了自己的皮，出来的是一个王子。在一个韩国的故事中，癞蛤蟆和女孩结婚后，让女孩用剪刀在它的背上剪一个口子。一个俊美的年轻男子从动物的身体里走出来。癞蛤蟆的皮只不过是一件外套，只要脱下来，它就可以变身了。这也是俄罗斯童话故事《青蛙公主》（也叫《聪明的瓦西丽萨》）里的情节，一位非常聪明的姑娘瓦西丽萨被一个巫师变成了青蛙。它遇见了一位王子，并且和他成婚了，王子把它的皮扔到了火里，这迫使瓦西丽萨逃离。为了找回自己心爱的人，王子不得不开始漫长的追寻。毁坏阻止变形的外皮这一主题在许多故事中都曾出现过，无论是青蛙、熊，还是天鹅。

这种特别的安排又凸显了另一个问题，即动物与人双方的体形问题。暂且不谈瞬间的变化，我们可以思考一下从动物外皮下出来的那个生物的属性。那究竟是一个正常身高的人还是一个微型人——它不得不长高、长大才能变成一个正常人？很遗憾，这个问题从未被研究过。最后，即使我们不做生物学方面的考虑，这种变形也涉及一个体貌的问题，动物与人类毕竟差别太大了。

虽然不真实，但是童话故事之所以选择青蛙并不是完全偶然的。因为它必须选择一种两栖动物才能完成有待于动物完成的各种任务。事实上，这个动物首先要潜入水塘深处找到公主弄丢的金球。本来鱼也可以完成这一任务，但是鱼没有办法走到城堡那里要求与公主共同用餐，也就不能要求与她共枕同眠。相反，青蛙既会游泳又会走路，还会跳跃。

最重要的是，青蛙是极少的几种真正会变身的动物，因为青蛙本来就是变形的结果，水中没有四肢的蝌蚪神奇地变成了长着四条腿的两栖动物。我们可以这么认为：出现在公主床边的王子只不过是蝌蚪变身的最后一个阶段。

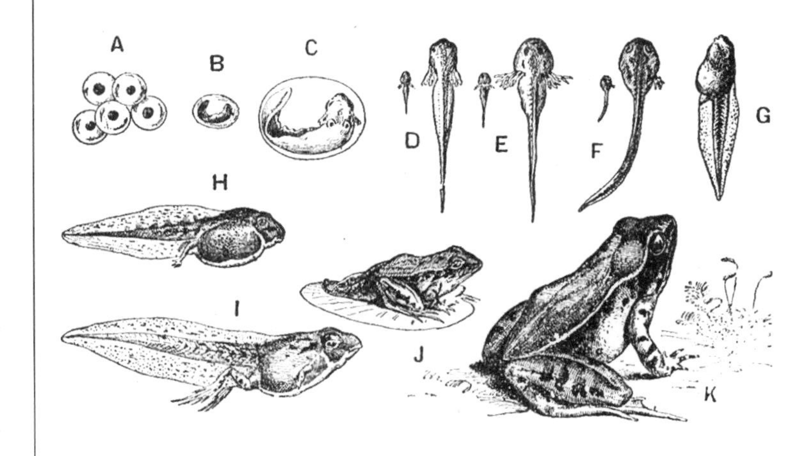

胚胎期（A—C）过后，蝌蚪（D—H）慢慢变成幼体的形状，但是和青蛙或者最后的王子还是差别很大。在第一阶段的变形（I—K）中，它丢掉了尾巴，并且适应了陆地环境，这对于王宫生活可谓必要的条件。

MÉTAMORPHOSE DES PRI

王子－青蛙的变形

年轻的英国王子
－正在变形中－
（*Rana windsoris*[1]）
欧洲

所罗门群岛王子
（*Bufo ridibundus*）
大洋洲

赞百兹[3]王子
（*Lipus promptus*）
非洲

达法国[2]王子
（*Rana hexapodis*）
亚洲

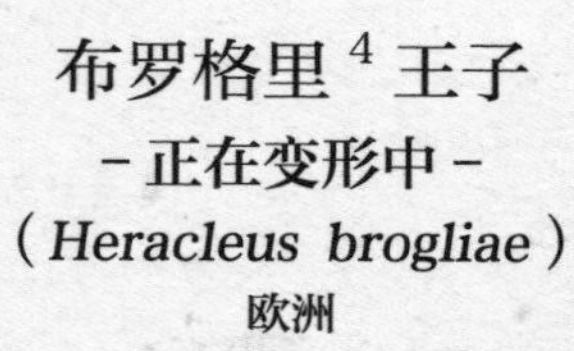

布罗格里[4]王子
－正在变形中－
（*Heracleus brogliae*）
欧洲

1 *Rana*，蛙属；*windsoris*，温莎种，疑似从 windsor 这个词演变而来。这是作者根据国际动物命名规则对这些神奇动物进行的命名，但是这些命名很多时候都是由作者虚构而成。译文中保留了这些拉丁语命名。

2 Le Dafadistan，作者虚构的地方名。Dafad 在威尔士语中有绵羊的意思，而 stan 表示想象的国度。

玉利族[5]王子
（*Hyloides papouasensis*）
大洋洲

日本王子
（*Imperiana kyotensis*）
亚洲

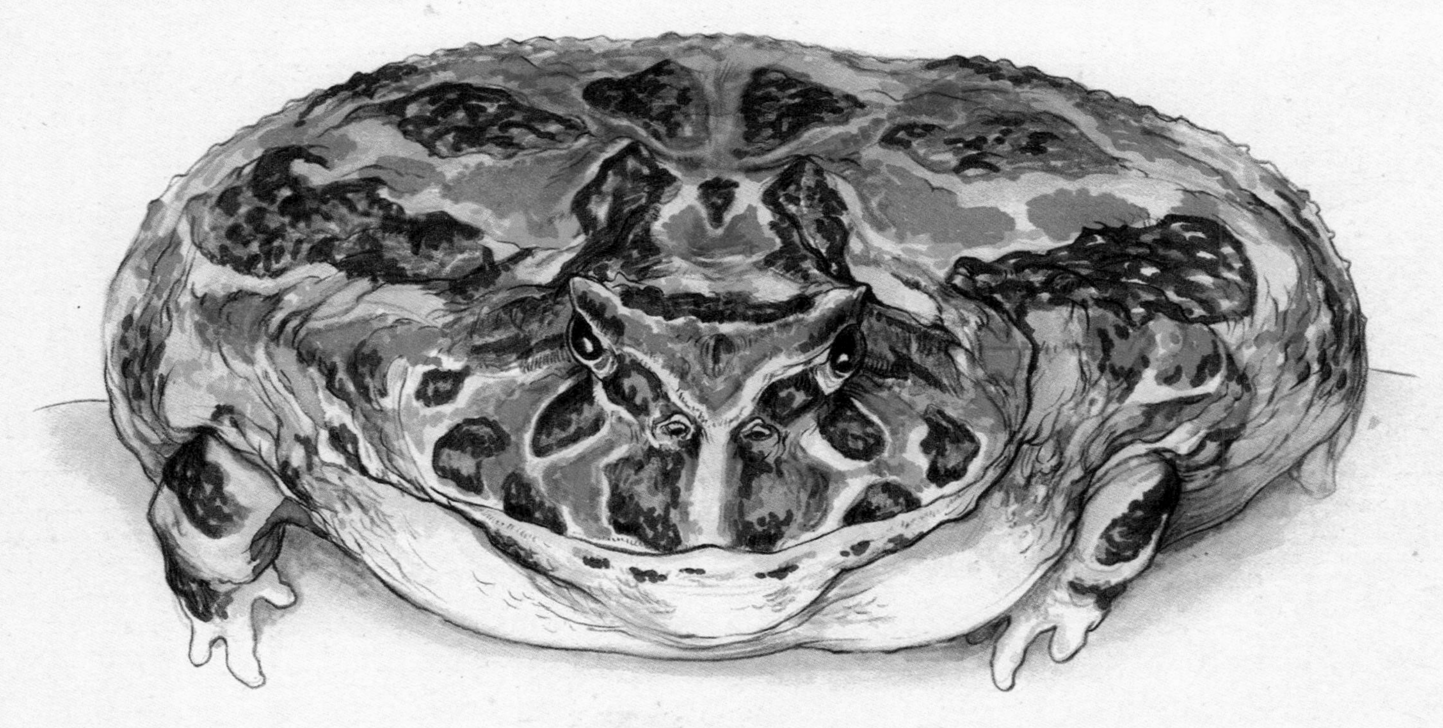

巴西王子
（*Megarana bossanova*）
南美洲

3 Le Zambaiser，作者虚构的地方名。从 Zambie（赞比亚）、Zambèze（赞比西河）演变而来。

4 Broglie，法国的一个村庄名。

5 Les Hulies，作者虚构的名字。

一天晚上，一个男子变成了一只甲虫。与传统的变形相反，这件事发生的原因以及它的过程一直都不为人所知，但是动物学自有它的解释。

甲虫格里高尔

场外的故事

卡夫卡在其小说《变形记》中描写了推销员格里高尔·萨姆沙变成一只巨型昆虫后的一系列故事。作家着重描写了格里高尔的日常生活因为变形而忽然出现的各种混乱，尤其是主人公与家人关系的急剧恶化。由于作家迫不及待地把动物呈现出来，以至于很难辨识这只动物究竟是什么。*Insekt* 即 insect（昆虫），这个词并没有出现在小说中。卡夫卡在小说开篇使用的词 *Ungeziefer* 是一个非常普通的词，意思是寄生虫、害虫（但是它也可用来指老鼠）。这就揭示了为何这个动物经常被描述成蟑螂的模样，哪怕作家本人从来没有使用过 *Küchenschabe* 或者 *Kakerlak*，这几个词才是指蟑螂。作家也没有提及它的触须，对于这种昆虫而言触须通常很长，且是很重要的器官。小说仅有一次隐隐提到了 *Mistkäfer*（屎壳郎），但无论是从动物学角度还是从生物学角度，这种说法都不可信。因为事实上，屎壳郎并没有卡夫卡所描述的那种纤弱的足，屎壳郎有的是又短又粗且非常强壮的附器。此外，这种昆虫不太出入住宅楼，因为在那里它们很难找到动物的粪便，而这恰恰是屎壳郎繁殖所需的一种必要物质，因为它们需要把自己的卵产在用粪便制成的球状体中。

与格里高尔不同，有些变形后的人在社会上取得了极大的成功。

屎壳郎堆积的粪球象征着重生，不仅是因为它圆圆的形状让人想起太阳，更是因为粪球是它幼虫的摇篮。

最后，作家对自然规律所做的唯一妥协就是变形后昆虫的大小，因为变形后的昆虫特别大，它的各个部分大得非同一般，可以说像是怪物。面对如此怪异的一幕，博物学家会不由自主地寻找其原因。但是卡夫卡没有给出任何关于变形过程的解释：“一天早晨，格里高尔·萨姆沙从不安的睡梦中醒来，发现自己躺在床上变成了一只巨大的甲虫。”我们就只能依靠想象猜测前一天晚上主人公身体在床这个巨大的茧里发生的巨大变化。

我们理解作家为何会不愿意解释变形的种种细节，因为

动物形态学家曾记录下人的毛发与昆虫蜕变后外表绒毛之间的相似性，但是毛发的分布范围肯定发生了改变。

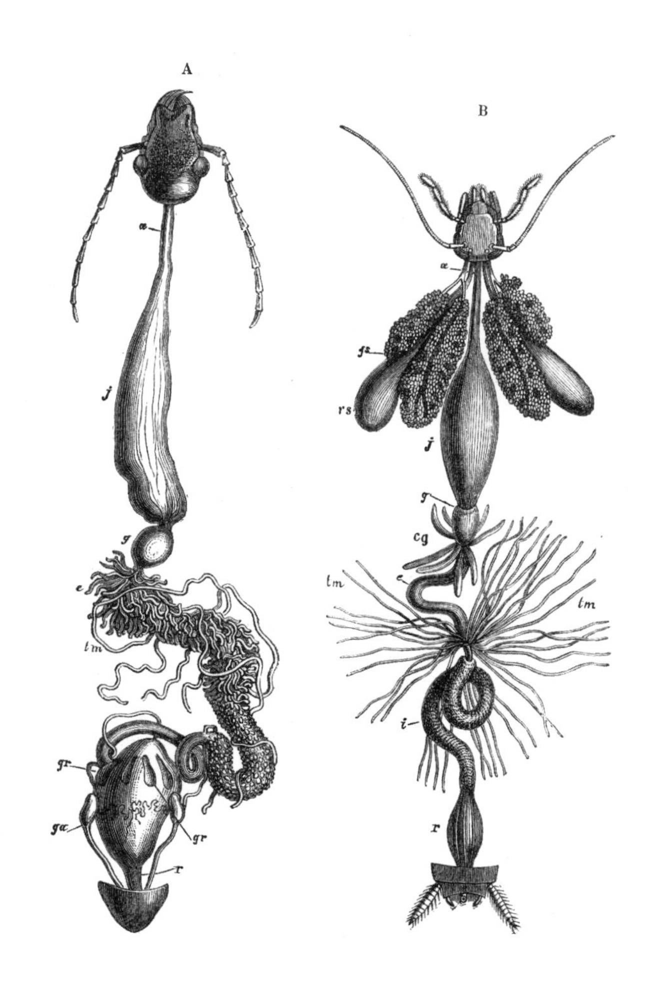

消化管道最后的形状取决于昆虫的食物偏好。

人与昆虫的结构完全不同，人类与节肢动物的身体器官完全无法一一对应。在动物学家看来，昆虫的六个附器与四足动物的四肢完全不是一回事。不仅仅因为数量的不对等，还因为两者是从不同的身体组织进化而来，不属于同样的胚胎组织。这一变形意味着内骨骼结构的四肢变成了外骨骼结构的多关节附器。全身的骨骼在皮肤硬化成甲壳的过程中逐渐分解。脸部则长出颚与节状的触须，替代之前的嘴唇与牙齿，这一切又都意味着消化系统、血管、呼吸系统与神经系统的彻底变化。

当然，要是把格里高尔变成猴子或者猪显得更加容易可行，但效果就不会这么令人称奇了！

变身为螳螂意味着上肢失去了功能。

MÉTAMORPHOSE DE L'HOMM

人－虫之变

在自然呈现的一切变形中，人－虫之变是最为复杂的变形之一。内骨骼结构被外骨骼结构的甲壳替代；四肢让位于数量更多的附器；身体内部的变化不是那么显而易见，但是更加令人好奇。大脑完全消失，被神经淋巴所替代。

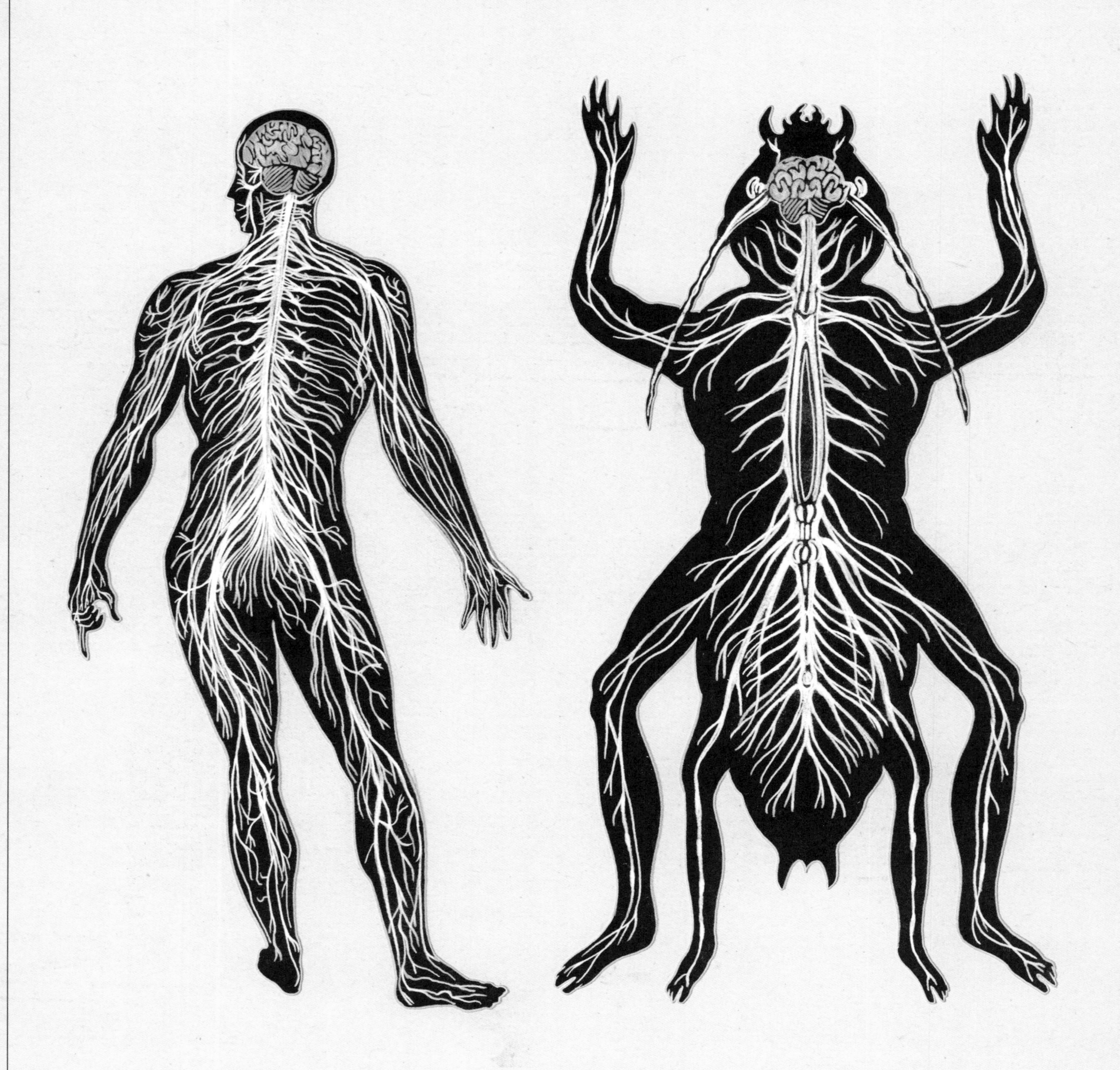

蟑螂人的神经系统

变形的阶段：

第一阶段变化

人进入昏睡状态，一般是在夜晚。

第二阶段变化

附器虽然还保留着原来的样子，但是已经开始受神经支配。

E-INSECTE

N° 22

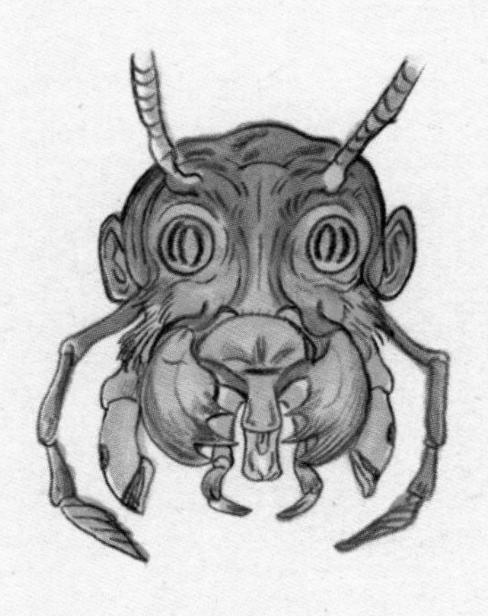

蟑螂人的头

眼睛近似于人眼。

（*Blatta sapiens*）

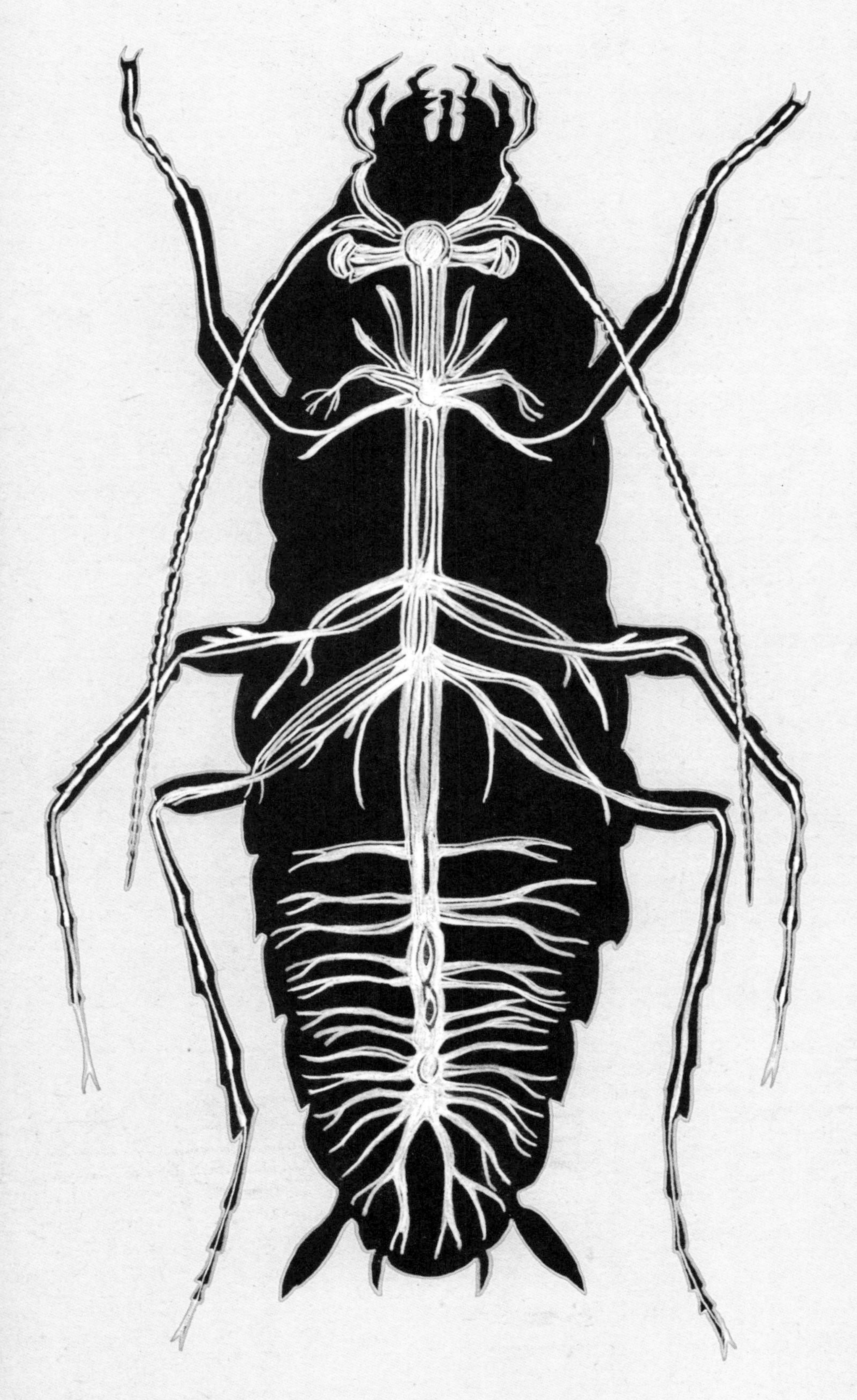

第三阶段变化

神经系统完美地适应了新的身体结构。

婴儿变形为屎壳郎的幼虫

在任何年龄阶段都可能发生变化。

很自然，人类的婴孩会变成幼虫。

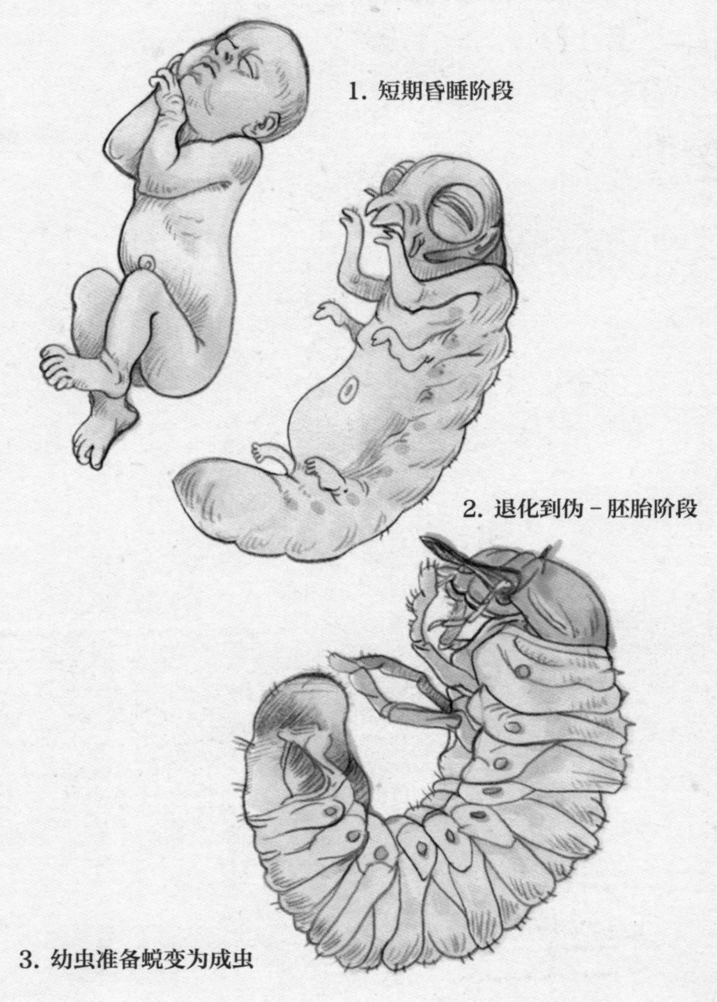

1. 短期昏睡阶段
2. 退化到伪－胚胎阶段
3. 幼虫准备蜕变为成虫

超自然博物插画

卡米耶·让维萨德 绘

奇幻学家

古代的神经常会根据自己的目的来施展变形，但是天主教是不可能任由大家去相信女人变成鸭子这样荒唐的神迹的。

蒙福尔的鸭子

魔法或神迹

一个年轻的乡下女子被一个坏心肠的领主绑架了。她被关在一座塔楼里，她向一位圣人祈祷，请求他将她从不幸中解救出来，最终圣人把她变成了一只鸟。故事有各种各样的版本，从布列塔尼到普瓦图，广为流传。圣人并不总是同一个，有时是一个圣女。鸟的种类从一座城市到另一座城市也各不相同，最常见的说法是鸭子，有时是鹤或天鹅，大部分时候都是候鸟。因此，许多作家便把这些表现虔诚之心的故事与更古老的异教徒神话相提并论，在那些神话中经常会出现女人－鸟或者长成鸟模样的女精灵，她们与这里提到的年轻少女大相径庭。

鸽子、鹤、母鸡、火鸡……自古以来，女人就被比作各种各样的鸟，最漂亮的或者最丑陋的鸟！

这个故事最有名的一个版本提到这是一只蒙福尔鸭子，以至于这座布列塔尼的小城曾经被叫作“蒙福尔鸭”城。据说，每年圣尼古拉纪念日，都会有一只非常漂亮的野生母鸭，四周围着一群小鸭，一起走进蒙福尔的教堂，丝毫不惧怕人，之后它们又回到附近的池塘里去。

故事最初大约产生于 12 世纪，之后就备受争议，直到如今。争议主要集中于鸭子是否真的出现在教堂里，尤其是这样的场景有何寓意。天主教徒从中看到了神迹，但是新教徒对整个故事以及相信故事的人都表示不屑，他们会这么问：“难道我们熟悉的故事就是这样产生的吗？一只鸭子成了一个故事，奇幻与想象替代了真实。”可惜的是，那些教民的证词在 16 世纪“布列塔尼归顺法兰西王国”之前的动乱中遗失了。

然而，从神学的角度看，年轻的女孩变身为鸟，这样的事很难让人接受。这故事很快被天主教徒所摒弃，而代之以一个更加平淡的版本，即年轻的女孩简简单单地被圣人解救了，没有发生变身事件。但是，鸭子出入教堂这样的故事并不违背任何教义，所以被大家看作神迹。

因此，蒙福尔圣雅克修道院院长、常任议事司铎文森·巴勒夫于 1662 年发表了《许久以来野鸭出入布列塔尼省蒙福尔城的真实故事及最新进展》这一文章，在文章里他对故事做了改动：圣－吉勒领主看中了一个年轻女孩，但是女孩并没有变身，而是奇迹般被“转移出”了城堡。他又添加了一个细节，虽然她“逃过了这一劫，但是又陷入了一个更大的劫难。领主的仆人们以为他们的主子心愿已经达成，他们自己也想好好享受一下”。幸好女孩又开始祈祷，她“才逃出了这些恶人的魔掌，他们一动不动、目瞪口呆”。变形的情节被两次神迹所替代！

许许多多讲述这一故事的民歌也分成了两个版本，有或者没有变身。夏多布里昂这样描述他母亲吟唱的故事：“鸭子最终变成了美人……”因为他是一个异常虔诚的天主教徒，所以他确信自己的母亲吟唱的是“一个错误的版本”。塞维涅夫人则讲述了一个截然不同的故事，在她的故事里，女孩的确发生了变形，但这是因为她不信教而得到的惩罚，因为她不想称颂圣尼古拉。大家都觉得她随意编造了这个故事。

至于鸭子，两百年间，有亲眼见过的人，也有道听途说的人，他们声称“鸭子在十字架旁边飞来飞去，还飞到了祭坛上”，身边还有它的小鸭，时间几乎都是在5月9日前不久。但是作家们都觉得鸭子去教堂的次数“越来越少”。最近一次在蒙福尔露面是在1739年，故事也是别人转述的，说是有一只鸭子只是“绕着墓地的十字架飞了好几圈”。1792年，法国大革命期间，“蒙福尔鸭城”被改名为“蒙福尔山城”，之后于1801年又被改名为“莫河边的蒙福尔城”。

如果说蒙福尔鸭来源于一次变形，它的小鸭子从何而来就非常扑朔迷离了（莫河边的蒙福尔城的风向标）。

“她独自一人在房间
乞求上帝拯救她；
乞求上帝与圣母
将她变成一只鸟。

祈祷还未结束
有人看到她已飞起
朝上、朝下，
飞出了圣尼古拉大塔楼。”

——**19世纪民歌选段**

乌鸦与猫头鹰

魔鬼之鸟

“卢修斯偶然来到一座房子里，那里有一个女人，她一旦涂上香膏就会变成乌鸦。”一位荷兰医生约翰·维耶尔如此引用了阿普列乌斯的小说《金驴记》，在这本书中可以读到最古老的女巫变鸟的描述。在原来的文本中，实际上是一只猫头鹰，但是这并不重要，因为这两种鸟都与巫术关系密切。乌鸦喜欢吃腐尸，据说会在战场上了结伤者。如果它停留在一户人家的屋顶上，说明他们家有人即将离世，所以它与死神甚或魔鬼往来甚密。猫头鹰（又叫枭），是一种夜鸟，我们知道黑暗恰是魔鬼的王国。正因为它们的这些罪名，这两种鸟经常在各处被钉在谷仓的门上。

1580 年，法学家兼魔鬼学家让·博丹出版了《论巫师魔鬼附身的妄想》一书，这是一部研究巫术的重要著作。在书中他认为“人变兽这一现象是真实存在的”。他给出了许许多多的例子，比如狼人，或者变成猫的女巫：“人类遭受一大群猫的袭击，有个人丢了性命，其他人受了伤，但是他们打伤了好几只猫，这些猫后来变成了女人，伤得很厉害。”

那时候，许多人真的以为巫婆会变成动物，或者用同样的法术让她们的邻居变身。被指控懂巫术的女人被严刑拷打，被迫忏悔，如果她们为了逃过刽子手的残害而不得已承认那些莫须有的罪名，更需要真心忏悔，最后还是被活活烧死。

经典女巫形象，即“锅边的女巫”。

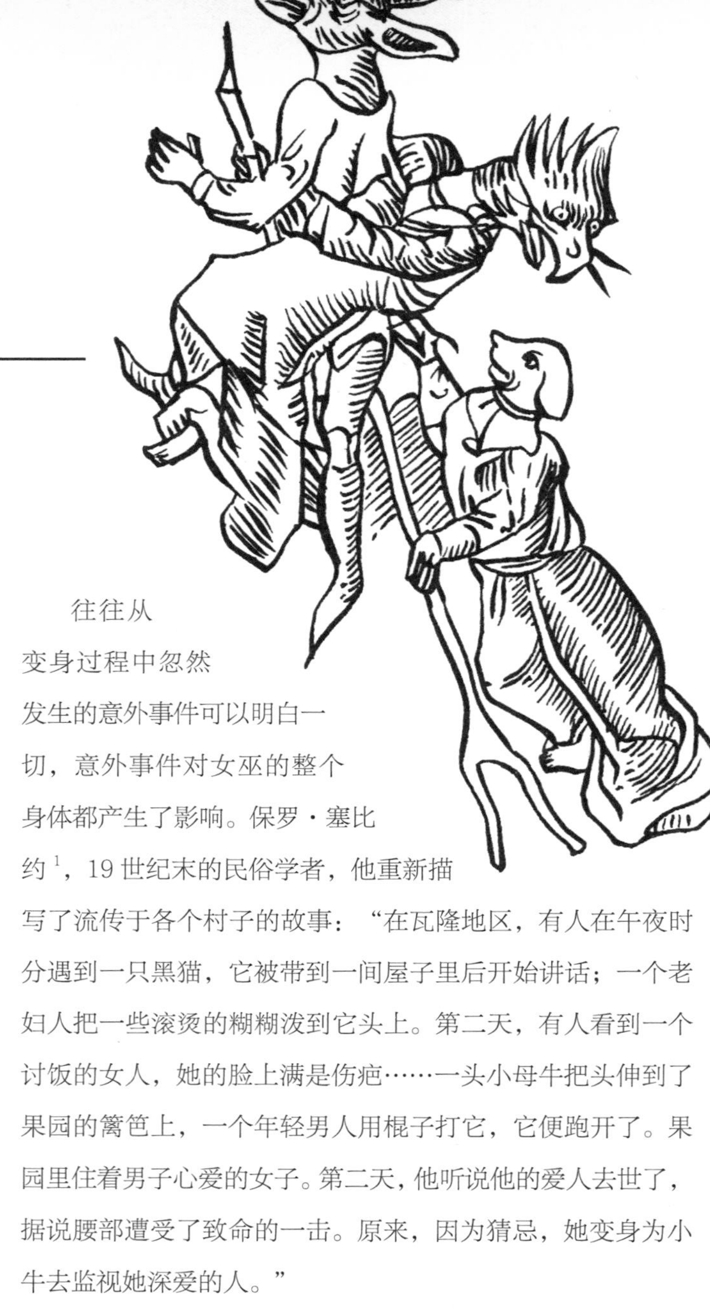

往往从变身过程中忽然发生的意外事件可以明白一切，意外事件对女巫的整个身体都产生了影响。保罗·塞比约[1]，19 世纪末的民俗学者，他重新描写了流传于各个村子的故事：“在瓦隆地区，有人在午夜时分遇到一只黑猫，它被带到一间屋子里后开始讲话；一个老妇人把一些滚烫的糊糊泼到它头上。第二天，有人看到一个讨饭的女人，她的脸上满是伤疤……一头小母牛把头伸到了果园的篱笆上，一个年轻男人用棍子打它，它便跑开了。果园里住着男子心爱的女子。第二天，他听说他的爱人去世了，据说腰部遭受了致命的一击。原来，因为猜忌，她变身为小牛去监视她深爱的人。”

如今，在互联网上流传着许许多多女人变身为猫头鹰、乌鸦变身为女巫的故事，还附带照片。在尼日利亚，一些亲历者讲述了一只乌鸦如何落到地上，“然后忽然变成了一位老妇人”。消息被迅速传播，一传十，十传百。警察介入了这件事，解救了被打的不幸的老妇人。其他一些人确认她被带到了警察局，她承认了自己女巫的身份。同样的故事经常被说起，而且总是配有图片和描述性的长文。在墨西哥，有人拍摄到一只被捉住的猫头鹰，它“正在透过一扇窗户往外看，向捉它的人施法术”。猫头鹰遭受了火刑，被一群女人审问，她们要求它表明身份，即说出它的姓名。控诉它的人还向它念《圣经》的选段，强迫它变身。

这些故事似乎都发生在遥远的过去，因为与中世纪时的故事很相似。唯一的新意是，它们有时会同最新的一些神话元素结合，比如会在其中加入外星爬行动物以及国际阴谋故事！

---

1 Paul Sébillot（1843—1918），法国人种学家、作家、画家。

MÉTAMORPHOSES DES SORCIÈRES　N° 7

女巫的变形

有些女巫生来就有变身为动物的特殊本领，哪怕外表看起来十分相似，但是它们的动作、姿势以及使用日常物品的方式还是会保留一些人的特征。

变身为乌鸦的女巫
（正在搅拌饮料）

变身为猫头鹰的女巫
（正在采摘药草）

变身为白乌鸦的女巫
（正在挥动小木棍）

变身为老鼠的女巫
（正在尝药水）

变身为兔子的女巫
（正在侦察环境）

变身为黑猫的女巫
（准备狂舞一番）

变身为癞蛤蟆的女巫
（正在念咒语）

变身为狗的女巫
（正在看魔法书）

超自然博物插画
卡米耶·让维萨德 绘
奇幻学家

当少女变身为鹿，谁才是她真正的爱人呢？一旦心理分析介入童话故事，那么一切皆有可能！

白鹿

美女与猎人

只要说起“白鹿”，人们脑海中就会浮现月光下的中世纪森林、善良的或者恶毒的仙女以及勇敢的骑士。从中世纪早期开始，原野上、森林里总是会发生一些超自然的捕猎行动，被诅咒的男爵们追赶他们的猎物，一路上都是号角声、狗吠声。

《变成白鹿的少女》这首歌曾经非常有名，它与这传统息息相关，但是这一故事是从猎物的角度而不是从猎人的角度讲述的。玛格丽特是一个贵族家的女儿，一天她哭着对自己的母亲说：“白天我是一个少女，晚上却是一只白鹿。”

残害无辜抑或对于心爱女子的一种迫害？

她害怕被自己的亲哥哥里昂（或者雷诺，不同的版本有不同的名字）杀死，她哥哥是一个狂热的围猎爱好者。夜幕降临了，她的预感变成了现实，但是准备杀死她的剥皮人发现她“长着金色的头发以及少女的乳房”。之后便是晚宴，被杀死的猎物成了猎人们的美食，玛格丽特诅咒这些客人：“你们尽管吃吧，屠杀少女的刽子手，我的头就在盘子里，我的心被钉在钉子上，我身体的其他部分在烤肉架（柴架）上烤着。”

这个故事把血腥的捕猎与血淋淋的食物联系在一起，被大家用各种方式分析、阐释。根据重建的德鲁伊教祭司传统，鹿女应该意味着“神母的再现”“仙境中的母性图腾”，甚至，根据一种心理分析解读，故事中蕴藏着玛格丽特与哥哥之间的不伦之恋，这一罪行使两个人遭受了非常严酷的惩罚。

玛格丽特为何会每日发生变身，对于这一不幸我们一无所知。但是，在17世纪多尔诺瓦伯爵夫人所写的童话故事《林中鹿》中，我们发现女主角之所以会变身，是因为被一个坏心肠的仙女施了魔咒。德熙蕾公主的父母不得不让女儿在16岁之前远离阳光的照射，否则，她会遭遇不幸。离命定的期限还有三个月，少女被阳光照到，一下子变成了鹿。多亏另一个仙女的帮助，公主白天保持着鹿的模样，到了晚上可以恢复人身。同玛格丽特一样，她在一场围猎中被一个王子抓住，这个年轻的王子名叫盖里耶（Guerrier，意为“勇士”），他在少女变身为鹿之前见过她的容貌，并且疯狂地爱上了她。他最终用箭射中了少女变成的鹿，但是鹿的伤口并不严重，结局十分圆满（两人结成了夫妇）。王子甚至十分爱恋鹿，因为公主即使是鹿的样子也依然迷人。

猎人的奔跑以及最后的射击象征着他对爱的追击？

这一变形可以说非常真实，因为少女很了解鹿喜欢的食物：“感到饥饿时，德熙蕾就会津津有味地吃草，之后又会觉得很吃惊，自己竟然会这样做。”她保留着原初的记忆，因为她为了躲避危险总会想方设法爬到树上去，“但是她已然忘记自己曾是鹿”。虽然作者没有细说变身的过程，我们却仍能推理出，公主在内心深处依旧是公主，只是学会了一些鹿的自然习性，或者至少是获得了一些鹿的本能。她比玛格丽特更接近动物，但是经历的事要比玛格丽特轻快很多，因为真正可怕的是人性。

白鹿的外形与少女的优雅、美丽是一致的。

猎人们聚餐时，孩子们也在场，正好可以教育他们如何抵挡变形的危险。

变身为苍蝇，这是一个诗人的梦，然而从动物学和社会学的角度来看，却是一个十足的噩梦！

苍蝇

科学的魔力

一位研究者正在调试一台可以实现"瞬间移动"的机器，忽然发现自己身体的一半变成了苍蝇，原来是因为一只苍蝇和他一起钻进了机器里。故事来源于乔治·朗热兰[1]创作的一部短篇小说《变蝇人》，发表于 1957 年，几乎立即就被改编成电影，然后又以电影、戏剧或漫画的形式被多次翻拍。

比起苍蝇的脚，苍蝇的头更能说明变形的困难。

1 George Langelaan（1908—1972），法国作家、记者，著有短篇小说《变蝇人》（*La Mouche*）。

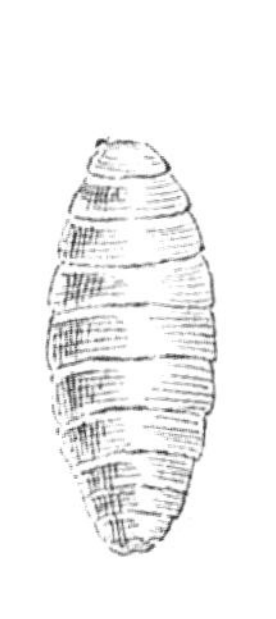
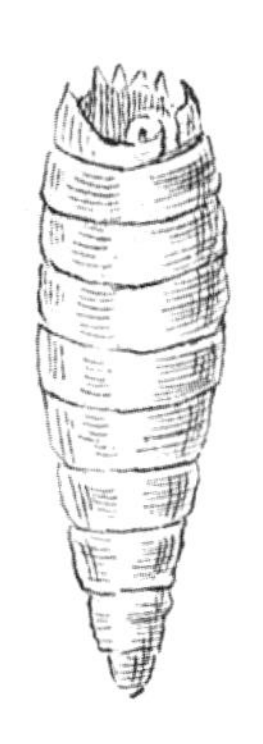

绿头苍蝇的蛹（中），是从幼虫（左）变为成虫（右）的过渡阶段。

人们认为巫师、魔鬼有时可以变身为苍蝇（也许因为巴力西卜[2]是"苍蝇王"），但是这种变形在文学中十分少见。1784 年阿那－热德昂·德·拉·菲特[3]出版了《圣水缸中的魔鬼与穿护胸甲的办报人变成了苍蝇》一书，但是故事本身与故事题目其实并不相符，所谓的苍蝇其实是密探：警察的眼线。与密探一样，苍蝇可以出入各个地方，四处探听但不为人发现。正是这些特征使得巴洛克诗人随心所欲地描写自己变成苍蝇或者蝴蝶，甚至可以悄悄地落在自己爱人的身上："我希望变成苍蝇，飞到你的唇上。"让·格里塞[4]如此写道。

2 Belzébuth 或 Bahal- sebuf，又译"别西卜"，犹太教中的神，是一切飞行生物的主人。在《圣经》中被认为是魔鬼之王，通常以苍蝇的形象出现。

3 Anne- Gédéon de La Fitte（1754—1807），法国讽刺作家、探险家。

4 Jean Grisel，经查阅，这首诗的作者是阿玛蒂·雅曼（Amadis Jamyn，1540—1593）。

但是，这只是一种愿望，陷入爱河的人并没有真的变形。这种变化其实非常危险，因为苍蝇要面对许多敌人，鸟、蜘蛛或癞蛤蟆……并且，这种变形看起来就很不真实！

20 世纪的科学知识让《变蝇人》的作者朗热兰得以自证变形的条件。变形的实施者不再是神，而是机器，变形不是为了惩罚不敬的行为，而是因为研究者的好奇心！虽然这种变形持续时间短暂，但它是科学的，至少表面上是。唯一的依据是“两个原子以光速穿梭于两台机器之间”，朗热兰非常推崇让·罗斯丹[5]以及他在青蛙变形方面所做的实验。正是在那个时代，变形人的故事或真或假充斥了银幕。依据几个关键词（裂变、原子、变形等），人变成大苍蝇的故事变得真实可信。但是，这对动物学家提出了许多问题。

首先，变形本身一点都不复杂：人的头变成苍蝇的头，人的手臂变成苍蝇的腿。事实上，虽然头仍然保持着大致的圆形，但是谈不上器官与器官之间的对应变化。苍蝇没有鼻子、耳朵、嘴唇、牙齿，它的附器与人身体的任何器官都不对应，因此根本不应该出现。它的眼睛与人的眼睛非常不同，它借助甲壳质的口腔器官、下颚以及长着触须的上颚吃东西。更重要的是，手臂的内骨骼被外骨骼、甲壳所替代。两者之间怎么能一一对应呢？对于插图师来说这是复杂的事，对于动物学家来说这是不可能的事！

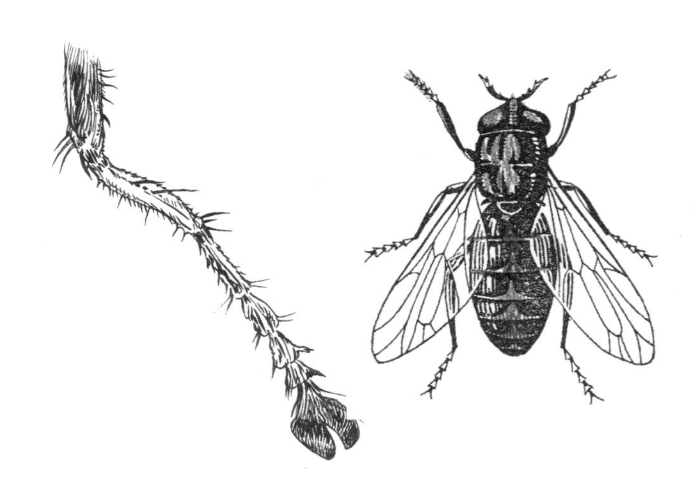

苍蝇腿的最后一节长着两个黏黏的线团，它可以让苍蝇停在任何想停留的地方。

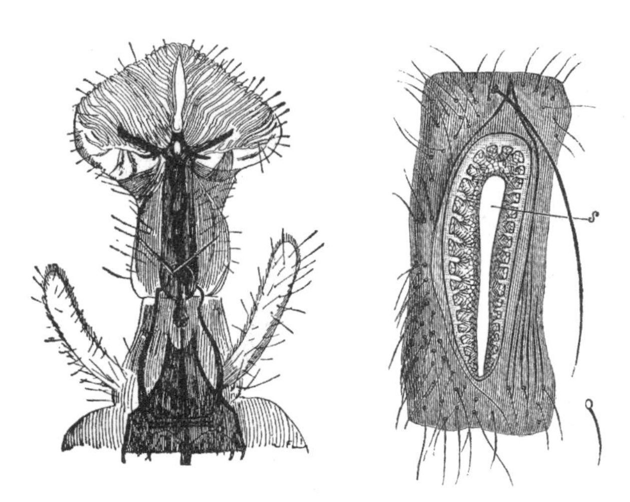

显微镜下可以看到苍蝇各个纤细的组织器官，比如苍蝇的长鼻子（左）或气门，即呼吸器官上的孔（右）。

“变蝇人”始终保持着清醒的头脑，虽然他衣着得体，但是依然不敢随意进城。

5 Jean Rostand（1894—1977），法国作家、生物学家、科学史家，法兰西学院院士。

MÉTAMORPHOSE PARTIELLE D

苍蝇－人的局部变化

这一变形极其少见，独属于科研人员。所谓的局部变化具有两重含义，首先是只有某几个器官组织偶然发生了变化，其次是变形不会对这些器官产生深刻的影响。如果是头部发生了变化，感受器官就会变得异常庞大。

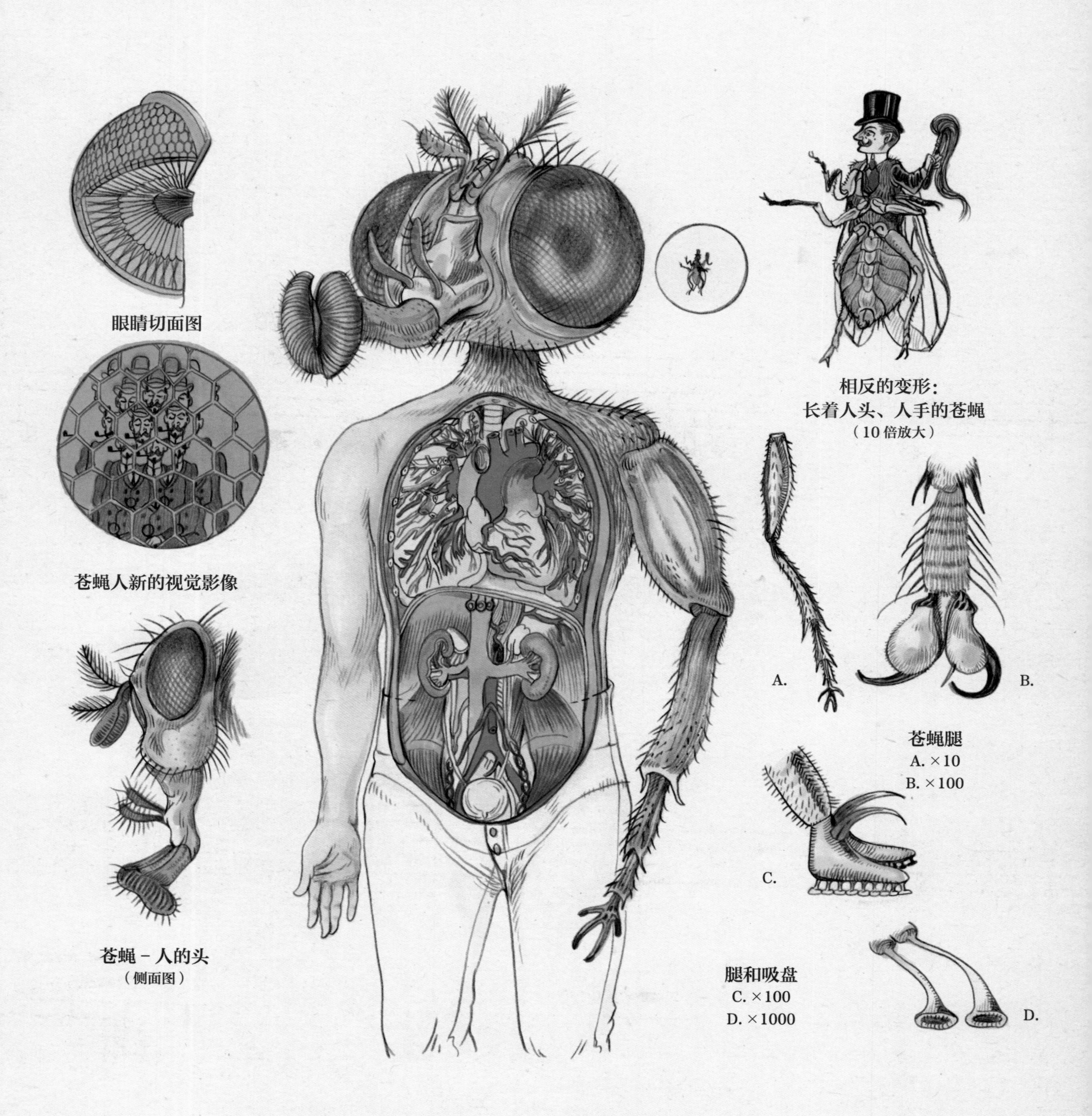

苍蝇－人解剖图

（*Muschomo semi-sapiens*）

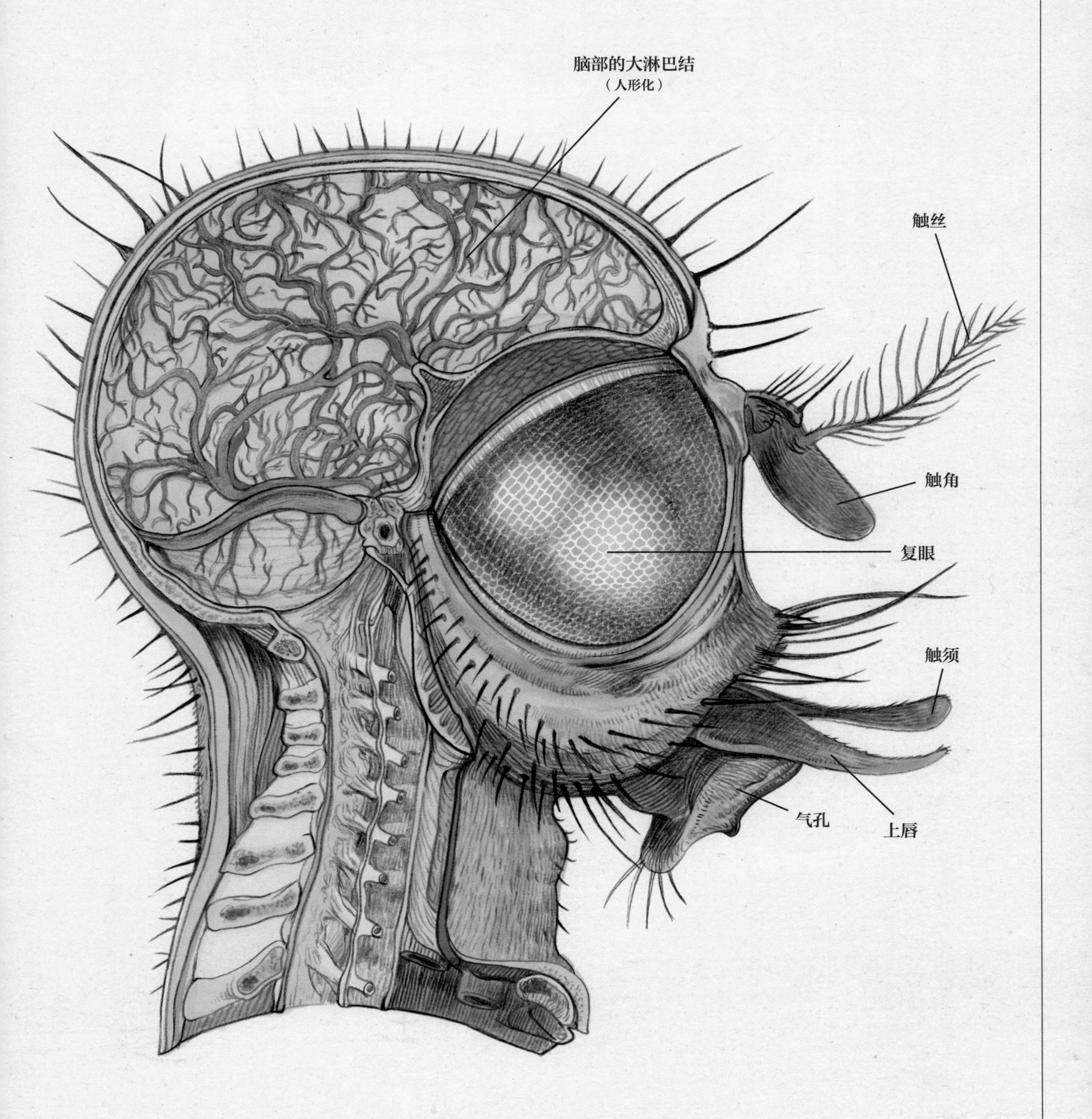

苍蝇－人头部切面图

复眼长在了外面，没有侵占保持人形的大脑皮层。
苍蝇－人保留着原来的感官与意识。
它无法再说话，但是天生具有一种不可思议的视觉。
听觉、嗅觉与味觉也增强了好多倍。

超自然博物插画
卡米耶·让维萨德 绘
奇幻学家

牛从远古时期就开始伴随人类左右，还有什么比二者之间或真实或想象的变形更加自然的呢？

母牛与公牛

欺骗与乔装

雌性萤火虫通过尾部发出的光来吸引雄性萤火虫，这种交流方式对于它们的繁殖来说十分必要。动物群类中，某些动物会模仿其他动物，但是目的各不相同。所以，雌性萤火虫可以发出与之相近的昆虫的信息，从而吸引其他雄性昆虫。显然这并不是为了繁殖（因为它们本来就不属于同一类昆虫），而是为了吃掉它们！我们称之为拟态，或者从道德的角度说可称之为欺骗，但是这与变形并无关系。

同样，当朱庇特装成一头公牛去引诱欧罗巴时，他其实并没有变形，只不过是稍稍乔装打扮了一下。相反，为了不让赫拉看见自己的所作所为，朱庇特把伊娥变成了小牛，这个不幸的少女是真的变了身。她成了朱庇特所施诡计的牺牲者，靠自己的力量她没有办法恢复原形。在奥维德所写的故事中，朱庇特最后觉得有些后悔，所以恢复了她的人形。诗人描述的也正是这一恢复原形的过程（但是并没有详细地描述最初的变形）：“身上的毛消失了，牛角不见了，眼睛变小了，嘴巴也变小了，肩膀和手都回到了原来的位置，五个脚指头一一分开，显出了脚的模样，唯一与小牛相似的地方就是雪白的肤色。美丽的女孩站起身，两只脚足以支撑她，但是她不敢说话，因为担心自己一说话就发出哞哞声。”

另一个变身为公牛的故事载于《圣经》中：尼布甲尼撒王（二世）无视上帝的伟大，他听到天空中传来一个声音：“听着，尼布甲尼撒王，你的王国将被人夺走，你将被赶出人类居住的地方，与田里的野兽做伴，你只能像牛一样吃草。”（《但以理书》，第4章31节）七年里，国王成了

《尼布甲尼撒王》，阿德里安·范·德·文尼，绘于17世纪。

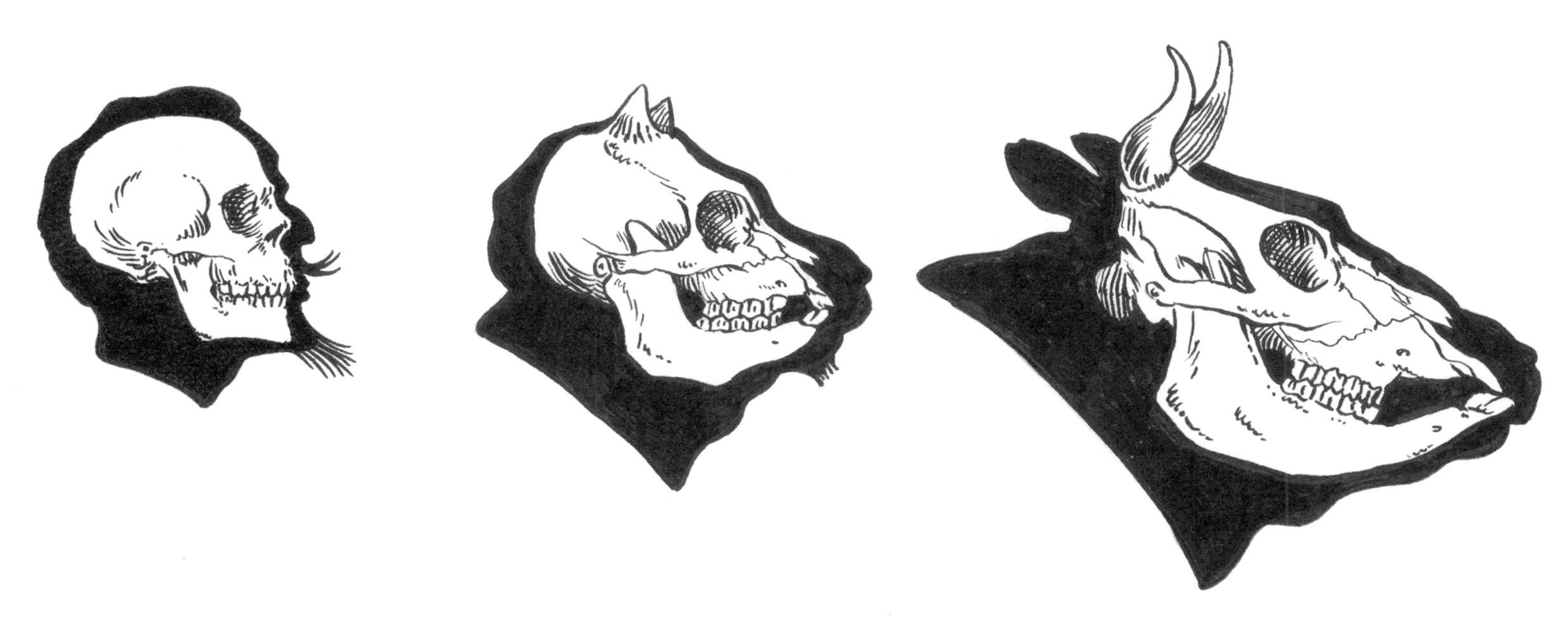

因为牙齿的持续变化，中间阶段变形的具体情形很难补充完整。

牛的样子，或者，至少他觉得自己变成了牛。中世纪时期，这个故事意义重大，因为它让一些人相信变形是可能的事，而又让另一些人觉得变形不过是人类想象的产物。

1730年，这一事件在宗教界依然存在争议，奥古斯丁·卡尔梅[1]教士概述了两派人的观点。尤其他引用了魔鬼学家让·博丹的话（这位魔鬼学家在16世纪时竭力提倡驱逐女巫），国王"不仅失去了原本的身体样貌、感觉，而且失去了人的意识"。博丹把这一变形归于撒旦，而且借用这一故事来证明巫师的法术使人变成了狼。其他人则坚持认为身体的变化虽然是真的，但是"国王在这种不幸的状态中依然保留了人的理性"。有些人认为这一变形不过是短暂性的发疯，这也是卡尔梅教士的观点："尼布甲尼撒王以为自己已经变成了牛，像动物那样吃草、顶角，任由头发、指甲生长，哞哞叫，光着身子到处走，在外面模仿牛的所有行为……他饱经风霜雨雪，以至于皮肤、毛发变成了鹰的羽毛，手变成了狮子的利爪。"最后，变形大体上可以说已成事实。

在另一些人看来，变身为牛的故事的确属实。据说，公元1世纪的丹麦国王弗若通三世，又名特朗基耶（Le Tranquille，有"宁静"之意），他被一个变身为牛的女巫用角顶死了，因为国王认为女巫偷了他的金子。由此看来，自古以来，人变牛，并没有人变狼那么顺利。

1 Augustin Calmet（1672—1757），又被称作卡尔梅教士（Dom Calmet），《圣经》注解者。

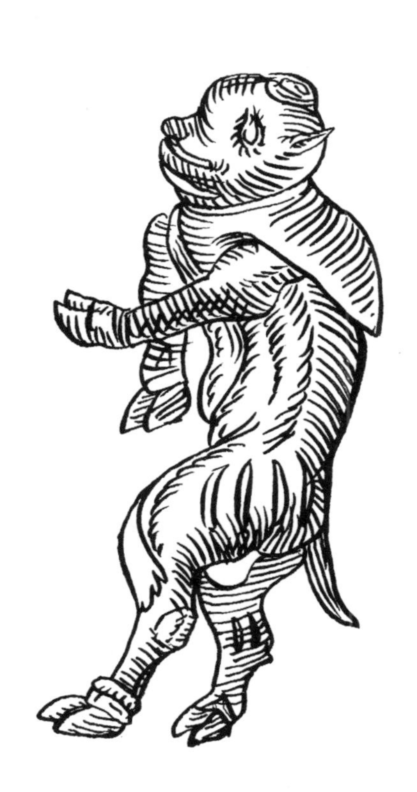

奇丑无比的怪兽肖像，手脚是牛的样子，其他地方也非常可怕（昂布鲁瓦兹·帕雷，《怪物与奇物》，1573年）。

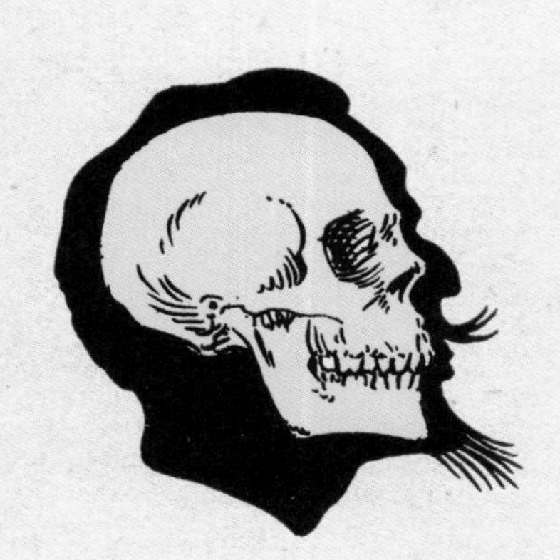

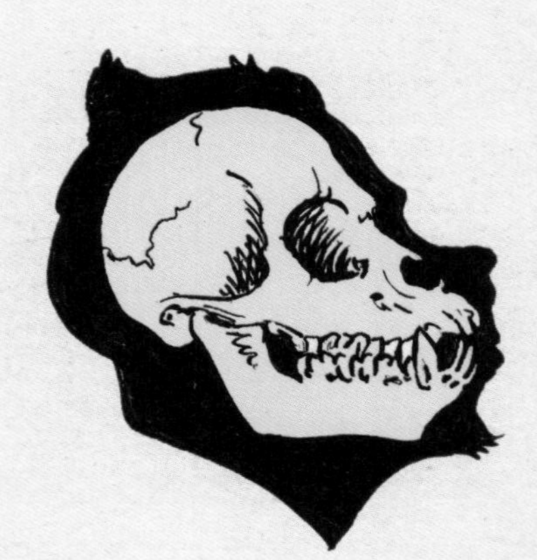

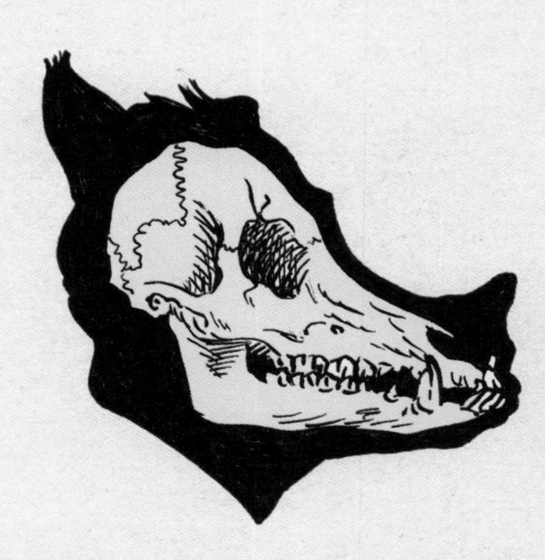

第 2 章

MÉTAMORPHOSES SIMPLES

—

简单的变形

不管变形速度多快，这一类的变形是可以被观察和描述的。通常，它们会遵循一定的逻辑，而变形后的样子也总是与原形保持一种相似性……但并不总是如此！

猪 40

棕熊 44

旧石器时代的杂交动物 46

男人与女人 48

小虫子 50

达芙妮 52

蜘蛛 56

雄鹿 58

老鼠与黑猩猩 60

变成他自己！这种天真愿望的前提是最普通的一类变形，即人变成猪。或者可以说隐喻也是一种变形。

猪

近乎人类

虽然猪属于偶蹄目动物，就像牛、鹿或骆驼，虽然它与灵长类动物一点都不像，但是，猪在许多方面与我们人类很像。从外貌看，它的皮肤是粉色的且没有浓密的毛，它肥胖的体形和人类的体形十分相似。从心理看，人类也很贪吃，也有无节制的性欲以及某种程度的智力。这一切都把人同猪联系在一起，并且有可能建立起一种动物学之外的假设，即猪与人的亲缘性。

对于女巫瑟西而言，把奥德修斯的同伴变成猪应该是轻而易举的事。其实，她本来也可以选择把他们变成狼或者熊。因为，在她那个时代，猪一般是灰色的，浑身都是毛，这就弱化了人类与猪的相似性。荷马很含蓄地写道，水手们的“头、声音、体毛以及体形与猪很相似”。

荷马之后又过了7个世纪，奥维德重新书写了《奥德修斯》中这一著名的片段。如一贯的作风，他细致地描写了变形的过程：“忽然，我简直难以启齿，我的身体开始长出坚硬的毛。而且，我连话都讲不了了——嘴巴里吐出来的不是话，而是沙哑的哼哼声。我的头垂到地面。我感觉嘴巴越来越大、越来越硬，变成了长长的拱嘴。我的脖子越来越粗，一圈圈的肉堆积在一起。我用拿过（毒药）杯子的手撑着地面走路。”

自古以来，这个神话故事就一直受到各种争议。有些作家认为，水手们应该是因为贪吃受到了惩罚，所以才会变成猪，他们无法拒绝瑟西的诱惑，接受了“奶酪、大麦、新鲜的蜂蜜、美味的葡萄酒”。相反，只有奥德修斯拒绝了无度的饮食，加上他的理智，才使他幸免于难。他还主动放弃与美人瑟西一起快乐地生活（虽然接受她的好意，与她待了一年）。

就像荷马强调的那样，变形后的战士们失去了关于故园的记忆，“但是他们的思想一直保持着原来的状态”。因此，有些评论者在这一故事中看到了灵魂转世这一隐喻，毕达哥拉斯学说中提到人死后灵魂会在新的躯体里得以重生。瑟西的名字也让人联想到圆，即生与死的循环。最终，多亏了奥

哪怕猪人体态高贵，也不得不因为自己的双重属性而做出妥协，在西装背面开一个口子，放它的猪尾巴。

奥德修斯的一个同伴变成了猪
（公元前 5 世纪，希腊青铜像）。

德修斯的介入，所有的水手才最终恢复了人形："忽然，强大的瑟西用可怕的法术生出的鬃毛从他们的身体上掉落。我的战士们又恢复了以前年轻人的模样，而且比之前更加英俊、高大。"既恢复了原身，又得到了进化，这一双重改变实际上并不符合灵魂转世说。

哲学家普鲁塔克通过描写奥德修斯的一位名叫格里罗斯（Gryllos，意为"猪"）的水手，进一步丰富了恢复人形这个故事。这名水手拒绝再变回人，因为"人是世界上最悲惨、最不幸的动物"，他觉得动物才更勇敢、更节制、更聪明。这一捏造的趣闻与荷马的创作相悖，曾被许多人反复研究。法国散文作家费讷隆在其作品《亡灵对话录》中的一章中写道，一个叫作格里鲁斯（Grillus，同样意为"猪"）的人抱有相似的想法，人类"盲目、不公、爱欺骗、不幸，虽然贵为人，但是总是相互打打杀杀，无论是对于自己人还是对于邻人而言都是敌人……猪虽然不讨人喜欢，但是它算得上心地善良：它不会造假币、做假合同；它从来不会违背誓言；它既不吝啬也没有野心；它不会为了荣誉而展开不公的战争；它纯朴，没有任何坏心思；它的一生在吃喝睡觉中就过去了"。格里鲁斯打发奥德修斯去战斗："去吧，去统治他们，去见珀涅

奥德修斯威胁瑟西，如果她不想办法让他的水手恢复人形，就要杀死她（古希腊陶器上的图案）。

罗珀（奥德修斯忠贞的妻子），去惩罚她的情人们：对于我而言，我的珀涅罗珀就是身边这头母猪。”但是，费讷隆并不是完全赞同格里鲁斯的话，他强调了自己的观点：“如果真正的哲学与宗教无法教化人，那么人会比动物更糟糕。”

医学更是加强了猪与人之间具有相似性的想法。从古代到中世纪末，医生一直通过解剖猪来教学生人的身体结构。如今，有人试图让猪“人化”，目的是让器官移植合理化。外科医生很难取得适用于移植的器官，所以研究者才会用动

死于贪吃的人要多于死于剑下的人（格兰德维尔，1845 年）。

物器官。他们将目标转向猪，因为猴子并不适用，虽然猴子是与人类最相近的动物：狒狒太小，而黑猩猩又因为太珍贵已经被列为保护动物（实在是万幸）。

而猪呢，它们体形刚合适，饲养也不需要花什么钱。当然从遗传学的角度说，必须对猪进行改良，以避免器官排斥的现象。很久以前，它们的心脏瓣膜就已经被使用，而研究一直都在向前推进，为了有一天能够实现整个心脏的移植。可以说这涉及双重变形（当然不是彻底的变形），一方面是猪的变形，它被局部“人化”了，好与人类的器官兼容；另

1110 年，在比利时的列日市，一头母猪生下了长着人头、人脚与人手的猪，但它身上的其余部分仍是猪的样子（昂布鲁瓦兹·帕雷，绘于 1575 年）。

一方面是人的变形，他的某些部分被“猪化”了，至少心脏部分是这样的。但是，人类与猪之间的关系非常复杂，爱恨交织，这很可能会使此类异种移植被叫停。

但是已经有人谈起过人与猪的联系，例如，在乔治·奥威尔的《动物农场》一书中，猪被当作人，它们继承了人最糟糕的缺点，它们和人在游戏桌边混在一起，齐心协力、团结一致去压迫其他动物。

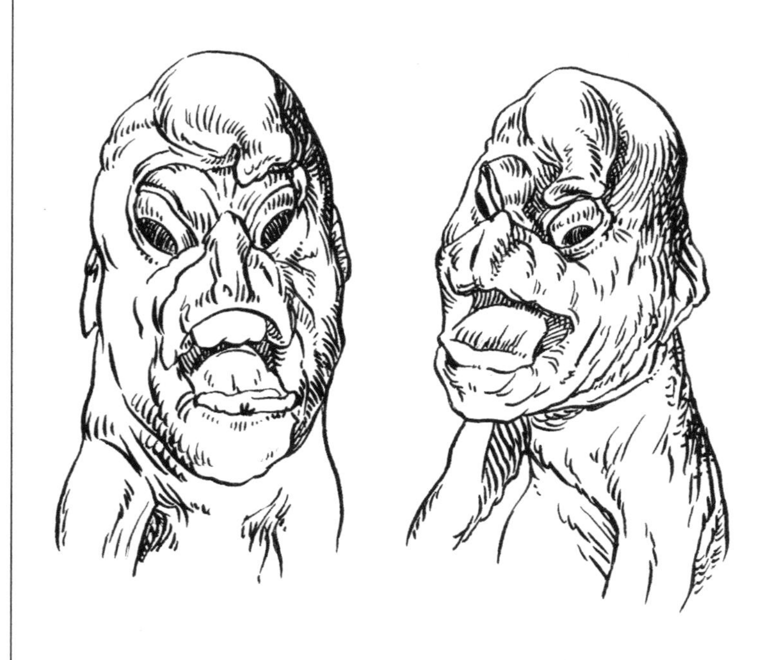

长着人头的小猪。面对这样的奇事，有人试图从母猪做的梦寻找其原因。但是生物学家提出了不同的解释。

MÉTAMORPHOSE DE L'HOMME-PORC N° 163

猪－人的变形

人变猪始于骨骼内部的变化。他的四肢变成四足动物的样子，他的脊背渐渐变长，直到长出螺旋形的尾巴。同时，他的牙齿也在渐渐变化，鼻子变成了猪鼻子。

1. 家猪－人

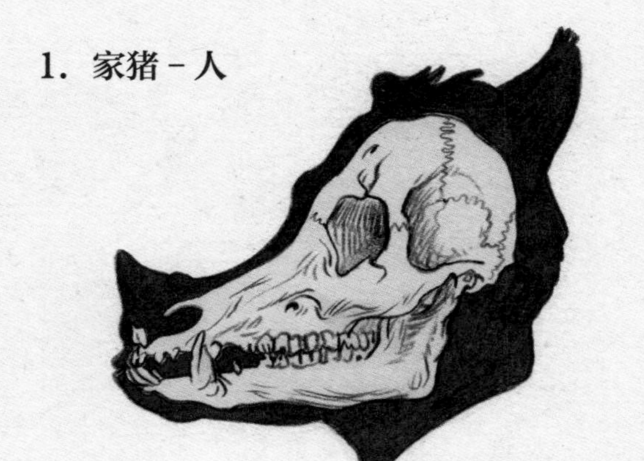

2. 野猪－人

家猪－人与野猪－人的对比

野猪人相当于城里的家猪人的乡下版。

（侧面图）

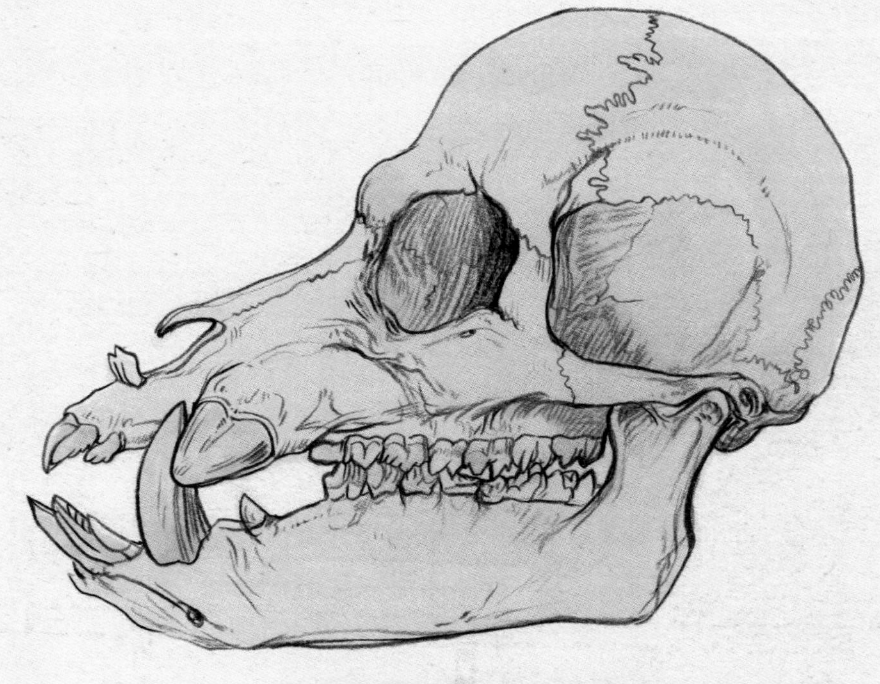

变形中的家猪－人颅骨

（*Homoporcus domesticus*）

骨骼变化

变形中，骨骼忽然失去钙质，所以它们可以变长、变形。然后，忽然之间它们又获得了钙质，随之而定型。

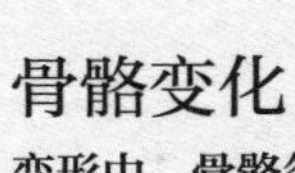

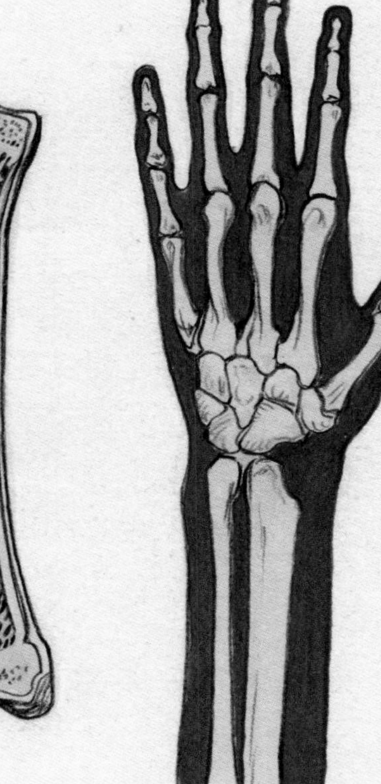

去钙过程中骨头的横切面

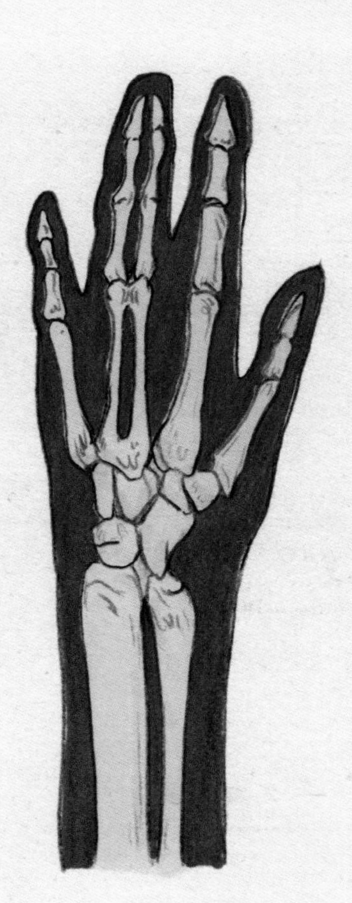

A. 初始形状

人感觉到手掌骨慢慢变软，改变了形状。

B. 过渡形状

中指和无名指合在一起变成了一根手指。

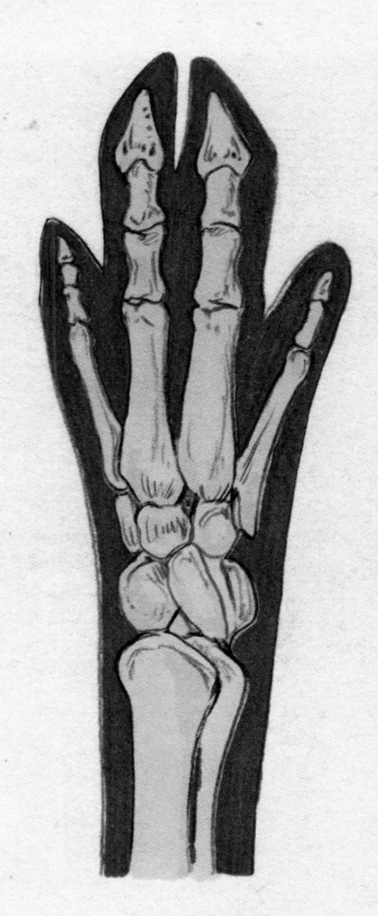

C. 最终形状

手变成了四趾的猪蹄，指甲变成了蹄尖。

在猴子成为人类的动物摹本之前，这个角色曾经一直由熊来担当，北半球从西伯利亚到加利福尼亚，熊是生活在广阔而寒冷的森林中的野人。

棕熊

森林中的人

在沦落到形单影只地生活在人迹罕至的深山之前，棕熊一直都是西欧地区大森林的主人。被猎人捉住的熊崽在集市被展览，“耍熊人”教它们模仿人的动作。对于公众而言，熊也是那个时代唯一能够长时间双腿直立的大型动物（会直立的猴子都很小）。站立着的欧洲棕熊很少能超过两米，这就凸显了熊与人之间的相似。

这种相似性在一年一度举办的“熊节”期间尤为引人注目，在传统意识十分强烈的地区，从加泰罗尼亚地区到罗马尼亚，这些节日一直很盛行。在这些狂欢节上，熊由人乔装而成，他披着厚厚的棕色皮毛，一下子钻进人群里，纠缠男人女人，尤其是女人，他假装绑架她们。有时还会出现一个装扮成女人的男人和一群试图阻止熊得逞的猎人。但是这些猎人并不总是能够阻止熊，熊甚至会假装与女人发生关系。化装舞会上经常会出现许多比较明显的阳具象征。同样，*hacer el oso* 一词，即西班牙语中的“装熊”，也有“公开、无耻地求爱”（和“鬼混”）的意思；在俚语中，法语 ourser[1] 有“做爱”的意思。这只参加游行的熊、这只跳舞的熊、这只让观众发笑的熊，像一个野人，长着又长又乱又密的毛，象征了好色又淫荡的

1930 年前摩尔达维亚的耍熊人。

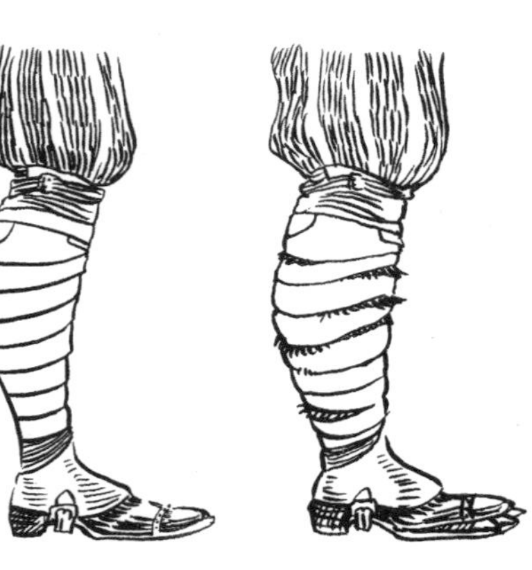

变形是一种不可控制的现象，最好能让自己的衣服与之相配。

1 法语中的“熊”拼写成 ours。

很长一段时间里，棕熊一直被看作危险、不可捉摸的动物。

男性。

童话故事《一只叫让的熊》在比利牛斯山地区十分有名，讲述了一个女人被熊掳走的故事，包括他们结合后生下的孩子的命运。故事各有不同，但是又万变不离其宗。奥罗·马努斯，乌普萨拉的大主教，在1561年出版的《北方国家历史》一书中，讲述了一只熊抓走了一个少女的故事：它一开始决定吃掉她，但是“发现这个漂亮的女孩长着姣好的面容，这只熊忽然陷入了一种新的激情，它没有吃她，而是非常温柔地亲吻她，从绑架者变成了爱人，它实现了与少女的结合”。最后女孩生下一个孩子，他便是丹麦王国的第一任国王。童话故事变成了传奇故事。

“像一只熊”，意思是表现得愤世嫉俗，正如许许多多童话故事里描述的那样，一个性格暴躁、爱发脾气的男人经常会变成熊。世界各地都能见到“未被舔干净的熊”（意为脾气粗暴的人，没有教养的人）。西伯利亚的图瓦人认为，所有的熊都是某个曾经独自去森林里生活的坏脾气男人的后代。同样，布里亚特人的一个神话是这么说的，熊应该是一个萨满，他无法再变成人形。暴烈、粗暴、残忍，熊也是一种强大而危险的动物。熊到人的蜕变以各种方式出现在北美洲、欧洲或者韩国，就好像这种亲缘性在每个地方都确凿无疑。熊是图腾动物、纹章符号，值得大家喜欢，尤其当它直立起身体表现出人的姿态时。出于尊敬，西伯利亚的猎人在杀死熊之前会把它叫醒，这反而使他们的行动变得更加危险。

熊意味着英雄般的力量以及狂热的欲望，它经常象征人类的动物性。根据心理分析对一系列丈夫变熊的故事的解读，

哪怕熊直立起身体，我们也能轻易把它与人类区分开。

熊的模样大概意味着与他的结合是不合法的事：熊大概就是禁止乱伦的象征。当然，其他人的解读正相反，虽然完全应当禁止，但还是与动物结合了，这就相当于一个被禁止的乱伦故事……熊和人类如此相似，所以我们可以让它说我们想说的话！

摩尔达维亚熊节上的一只熊人（20 世纪）。

萨满教相信史前山洞中的壁画，它扎根于人类最古老的历史中，那时候动物与人类的关系最为密切。

旧石器时代的杂交动物

神秘的萨满

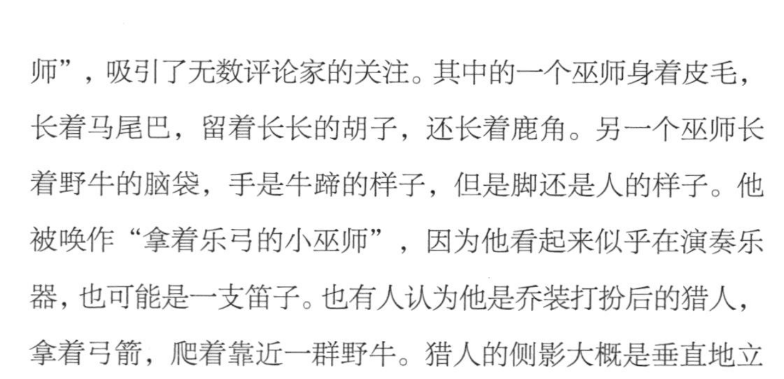

旧石器晚期的画家与雕刻家留下了成千上万件关于猛犸、原牛、熊或者马的作品，这些作品既写实又具丰富的想象力。在这些作品中，人们可以看到一些非常罕见的半人半兽的动物混合体。因为当时画家与雕刻家的社会职能一直都不为人知，所以这些动物的混合特征更加令人费解。

距今 17000 年的“三兄弟”石洞内壁上刻画着两个“巫师”，吸引了无数评论家的关注。其中的一个巫师身着皮毛，长着马尾巴，留着长长的胡子，还长着鹿角。另一个巫师长着野牛的脑袋，手是牛蹄的样子，但是脚还是人的样子。他被唤作“拿着乐弓的小巫师”，因为他看起来似乎在演奏乐器，也可能是一支笛子。也有人认为他是乔装打扮后的猎人，拿着弓箭，爬着靠近一群野牛。猎人的侧影大概是垂直地立在那里，这种描述让人想起天主教教士布热耶[1]的观点（如今已经为人遗忘），他认为，石壁上的画应该是一些帮助狩猎的场景。

其他的史前史学家更倾向于认为，这些壁画中隐藏着“萨满教”的一些场景，至少有一些符合我们的想象。这些“巫师”戴的面具、穿的衣服使得他们变成了一些动物，好让一些治疗与占卜的仪式能顺利开展。据说，服下植物的汁液或者蘑菇熬成的汤药可以让鬼神附体，他们会感觉通过动物进入了另一个世界。现在的萨满（或者说 19 世纪的萨满）认为他们的法力降低了许多，真正的变身要追溯到远古时代，但是他们的记忆是不是能回到史前时期呢？

一些新的发现丰富了这些杂交动物的存在依据，比如在施瓦本地区的汝拉山的一个石洞里发现的 30000 年前的狮头人身小塑像，这是不是

我们的祖先见过一些非常神奇的动物，比如猛犸、洞熊以及巨角鹿——一种长着极长的角的巨型鹿。

1 Henri Breuil（1877—1961），又被称为“布热耶教士”，法国史前史学家。

第一幅描述西伯利亚萨满的画作，出自荷兰地图学家尼古拉·维特森的作品（《北与东鞑靼志》，阿姆斯特丹，1705 年）。他长着鹿的角和耳朵，但是长着熊的脚。

就是前面所说的萨满教中的变身——一种对人类起源的神秘表达？或者是类似于印第安图腾隐含的故事，让人联想到氏族部落的某个历史事件？

不管这些杂交意象的真正含义、社会功能是什么，它们都强调了人类如何将自己看作与之十分接近的动物世界的一部分，既是因为当时野兽非常多，也是因为当时狩猎是日常生活的重要组成部分。这个世界又是这样现实，所以必须从中抽离出来，关注人与动物的差别。这种与自然的密切关系是印第安人原初神话以及澳大利亚土著人“梦创时代”[2]中反复出现的主题。

无论是萨满教的变形，还是狩猎时的伪装；无论是神话，还是魔法，史前时期的壁画和雕像也许将永远成为谜团，但是它们向我们揭示了人与动物之间深刻、久远而复杂的关系。

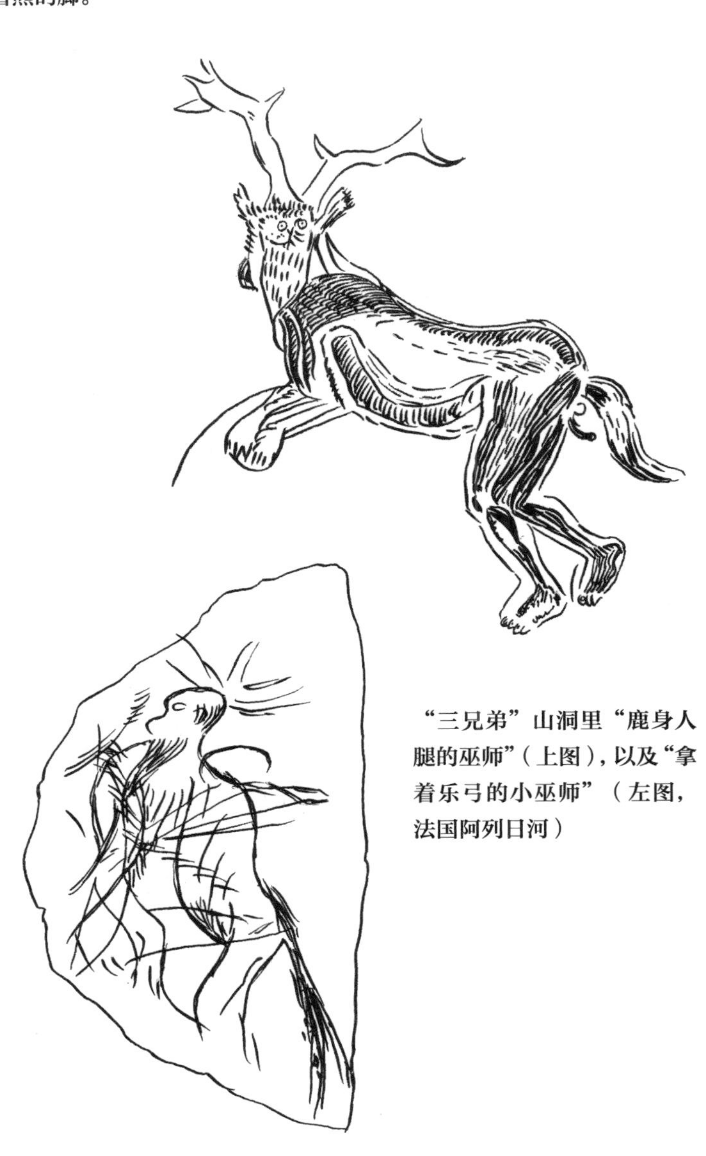

“三兄弟”山洞里“鹿身人腿的巫师”（上图），以及“拿着乐弓的小巫师”（左图，法国阿列日河）

2 “梦创时代”是澳大利亚土著居民重要的信仰，在澳洲土著文明中被认为是世界的伊始，天地万物皆生于此，他们认为物质世界与精神世界之间不存在明显的界限，因而相信“万物有灵”。

变形是一种探索其他生物生活与感觉的特别手段。还有比不同的性别更不同的事吗？

男人与女人

双性人

在出版于1969年的小说《黑暗的左手》一书中，美国小说家厄休拉·勒吉恩虚构了一个生活在另一个星球上的人类社会，在这个社会里每个人通常都是双性人，没有既定的性别。每个月中的某些天，每个人根据自己的际遇、感觉与欲望变成男人或者女人。从地球去到那里的叙述者一直保持自己的男性身份，被当地人看作不正常的人。

我们谈论某个人的人类“天然属性”，也会谈论男性与女性（暂且不深入展开“属性”这一概念包含的真正意义）。但是哪怕从一个性别变成另一个性别的现象不是非常普遍，它也的确存在于自然界中，包括反向的变形。石斑鱼刚出生时是雌性，长到一定大小时就会变成雄性，这种变化有时是因为族群中雄性的递减。

这一变形有时也可能由外因导致，比如蟹奴，这是一种类似藤壶的寄生虫。它的幼虫附着在螃蟹的尾部，会生长出根一样的东西，它们在寄主的体内不断蔓延，直到每个蟹腿的尖端。这些吸盘一样的东西在寄主的体内不断吸收生存、繁殖所需的一切能量。蟹奴不会让螃蟹死去，寄主可以在这种状态下存活两年。但是，蟹奴的存在会引起另一个变化：它会把公蟹变成母蟹。

在奥维德看来，性别的变化算得上是真正的变形。他讲述了蒂利希阿斯的故事：他用木杖敲了敲两条正在交配的蛇，他自己马上就变成了女人。作家本人认为这一现象“令人惊叹”！因为了解两种性别状态，所以蒂利希阿斯被喊来充当朱庇特与朱诺某次争吵的裁判：男人和女人，在做爱中谁能感受到更多的愉悦？蒂利希阿斯道破了女性的秘密，“如果按照十分制算，女性只能感受到男性愉悦感的九分之一”。他的回答支持了朱庇特的论调，所以惹恼了朱诺（“并不是因为理性”，奥维德明确写道），朱诺剥夺了他的视力。但是我们在另一个文明中发现了同样的观点，在印度史诗《摩诃婆罗多》中，班伽湿瓦那国王最终选择作为女性活下去，

最初的伴侣典范，双方向来都是差异性的个体。

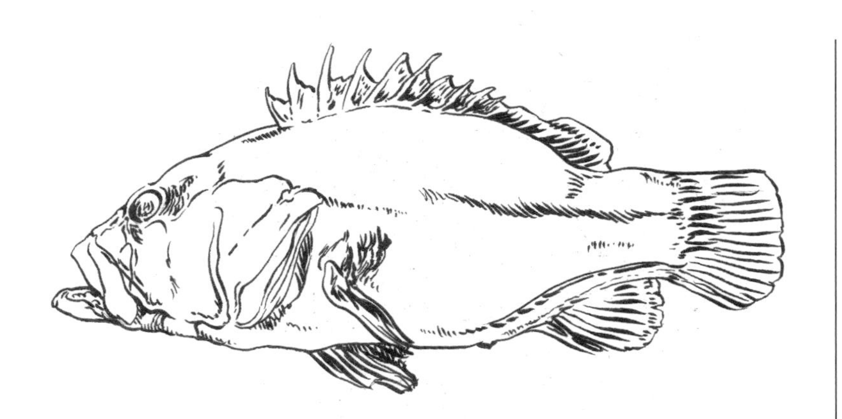

石斑鱼出生时为雌性，长到 10—14 岁时会变成雄性，直到死去。

之前，因为他触犯了主神因陀罗，被变为女人。

16 世纪时，昂布鲁瓦兹·帕雷[1]否认会发生这样的变形，原因显而易见，但是他特别强调当时的厌女风气。“我们从未在真实的历史中发现有任何男人变成女人，因为大自然总是眷顾更完美的存在，而不是将完美的存在变成不完美的存在。”相反，女人变成男人则是可能的，并不是因为变形，而是因为某个简单的事故。蒙田讲述过一个不幸少女的故事：“因为跳跃的时候用力过猛，她的身上长出了男性器官；女孩子中间至今还流传着从那个故事衍生出来的歌曲，以此相互警告不要用力跳跃，否则会像玛丽·日耳曼那样变成男孩。”

在文学作品中，这种变形并不常见。两种性别之间的转变自古代开始就一直为人所津津乐道，但是更多地存在于医学领域，而不是故事里。当然，这样的事通常被认为是可怕的。亨利·博盖，1596 到 1616 年间布洛涅地区的大法官，也是著名的神学家，他认为魔鬼用尽心思引诱巫师和女巫，为每个人选择合适的样子。魔鬼之所以变成男人，是因为“他知道女人喜欢肉体的快乐，只要稍微在她们身上挠挠痒，他就能让她们听命于他……因为巫师与女巫一样淫荡，所以，他又变成女人来取悦巫师，他主要在安息日行动”。

如今，这不再是一个关于变形的问题，变性已经成了一个新的话题，为了能让自己的身体契合自己感受到的性别归属，人们有可能通过手术改变自己的身体结构。

以前集市节日上“长胡子的女人”，这种现象引人关注又让人觉得可笑。

1 Ambroise Paré，文艺复兴时期法国外科医生，被后人认为是现代外科与病理学之父。

地球诞生之初，不断有新的生命出现，尤其是最微小、最简单的生命。至少以前大家都这么认为……直到路易·巴斯德[1]改变了这一观点。

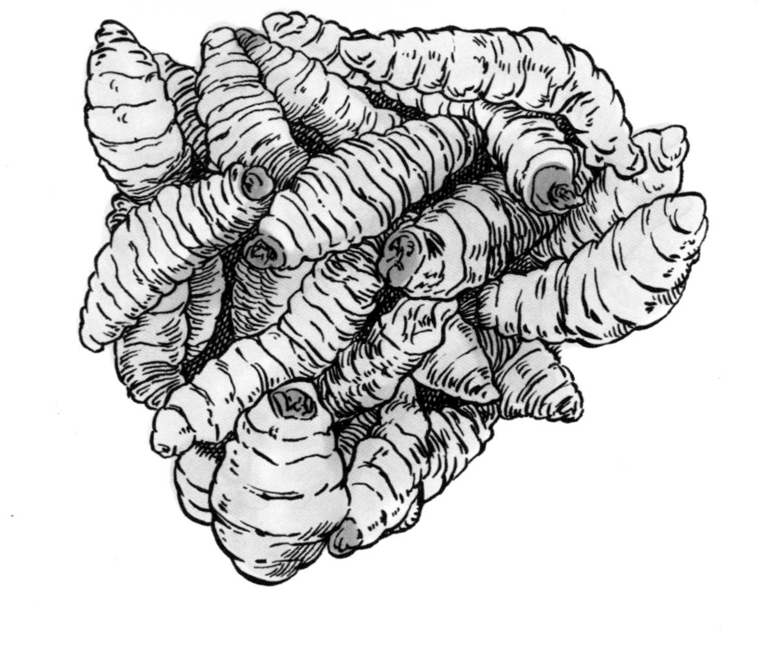

小虫子

不知从何而来

很长一段时间里，大家都坚信：有机物质依靠自己孕育出了微生物、蠕形动物、苍蝇以及其他昆虫。这种自我繁殖的观念（又称自然发生说）为所有人接受，它也符合生命物质具有特别的生命力这一观点。连亚里士多德都声称："植物、昆虫、动物可以从与它们相似的生命系统中诞生，但是也可以从阳光照耀下正在腐烂的物质中诞生。"人们把从献祭的牛身上飞出蜜蜂的现象叫作 bougonie。从古时开始，就流传着从马的内脏中生出黄蜂和胡蜂、从驴的内脏里生出金龟子的故事。

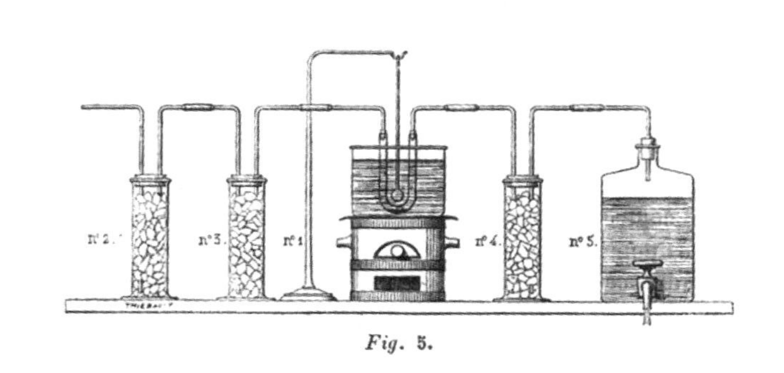

为证明自我繁殖而设计的实验，由法国植物学家菲利斯－阿奇曼德·波却设计于 1864 年。

博物百科全书《健康花园》中描述的自我繁殖现象，出版于1485年。

17 世纪时，博物学家凡·艾勒蒙依然坚持认为，把潮湿的棉布放在一个盒子里发酵，就能生出老鼠，他惊叹道："更令人称奇的是，这些老鼠从麦粒中出来时，不像那些发育不良的动物。它们已经发育得相当成熟，不像其他动物需要妈妈喂奶。"在 1784 年的《法国水星杂志》中，可以找到"用牛肉孵蚕"的方法：首先必须在一个罐子里一层隔一层铺上切碎的牛肉和桑树叶，在最上面盖上"干活的人穿过的汗渍斑斑的旧衬衣"，然后

1 Louis Pasteur，法国著名微生物学家、化学家，微生物学的奠基人之一。

变形后金龟子忽然出现，仿佛是一种“自我”繁殖。

把罐子在温热的地方放上几周，“直到肉变成蠕虫”。杂志中的方法并不保证一定能成功。根据其他说法，只需要先用桑叶喂养小牛，然后把牛杀死，它的尸体就能生出蚕。所有这些繁殖现象都不是从虚无中生出动物，而是有机物的变化，是真正的变形！

直到1860年巴斯德做了系列微生物实验，知识界才最终承认，哪怕是微生物也不可能从已经没有生命的机物中诞生。要繁殖下去，一种微生物就必须依靠另一种活的微生物：“生命是胚芽，而胚芽就是生命。自然发生说因为这简单的实验而遭受了致命一击。”但这一观点的传播并不顺利，自然发生说的支持者坚决反对这种理论，比如植物学家菲利斯-阿奇曼德·波却就这么认为：“大部分动物从表面上看确实是从胚胎发育而来的。但仅根据这一现象，某些专家就此得出‘所有的动物都是由此诞生’的结论，这就断然否定了造物的顺序，包括先于造物存在的超自然力量；当然也就否认了光的作用。”不管怎样，到了19世纪末，自然发生说逐渐在科学领域丧失了其地位。

但是这一重要的进步又引发了新的疑问，尤其是对于进化论者，即那些支持达尔文进化理论的人。如果说生命无法自我繁殖，那么最初的生命又从何而来呢？巴斯德认为：“科学是自知的，它很清楚讨论生命的起源对于它自己而言并没有什么用；它很清楚，至少就目前来说，这一起源超乎了它现有的研究范围。”直到20世纪，终于有了答案。自我繁殖在现在已经不可能发生，但最初的地球环境却可能孕育出生命！40亿年前，大气的组成与现在很不一样，有机物质可以依靠太阳能或者海底热液提供的能量实现自我繁殖。我们也知道陨石和彗星将一些有机物质带来地球，剩下的只需要证明这些物质如何相互结合变成了有生命力的细胞，从而开创了漫长的变形历史，即35亿年前生命初始时的物种进化。

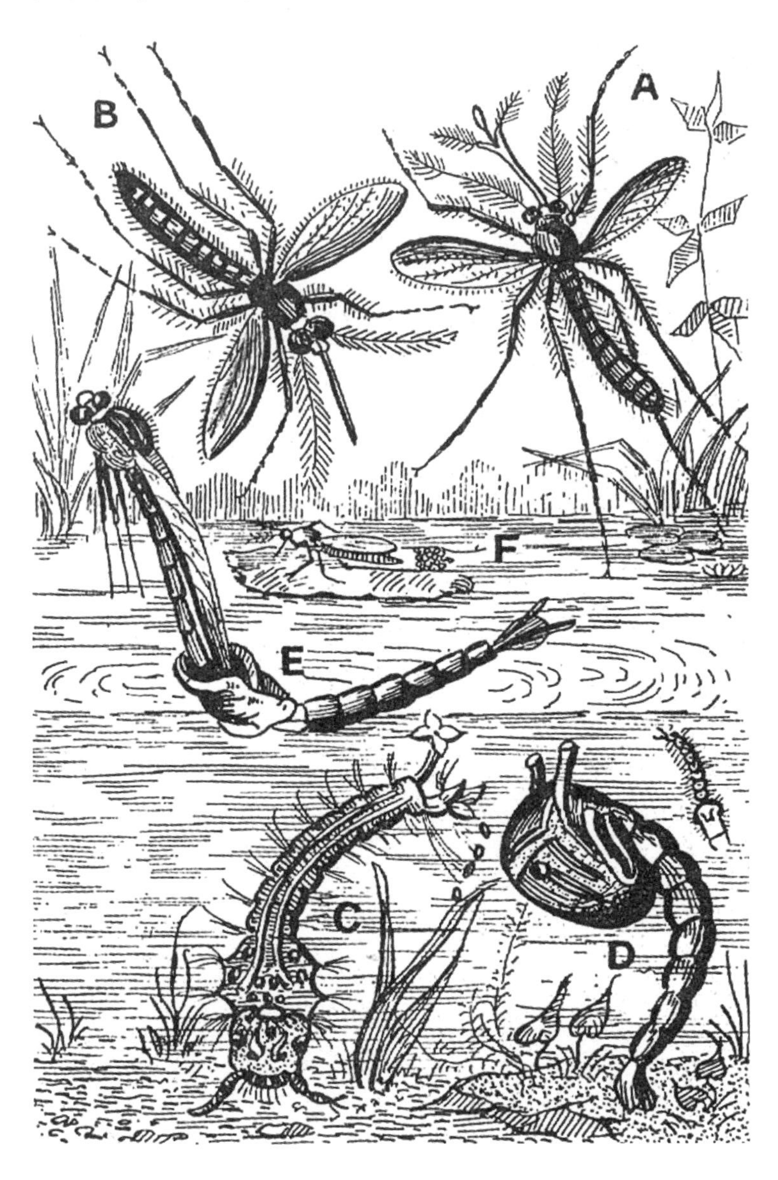

沼泽地似乎提供了有机物质自我繁殖必需的有利条件。最早发明的显微镜显示，哪怕是最小的昆虫也具有非常复杂的身体结构。

月桂女神达芙妮的传说既美丽又悲伤，但直到动物学家的出现，她的故事才显现一种独特的幽默意味。

达芙妮

长着树枝的美人

奥维德的《变形记》描述了奥林匹斯山上诸神日常生活的点滴，他们的争吵或者伎俩往往会影响人类的生活，甚至使人类遭遇不幸。正是在阿波罗与丘比特的一次争吵后，丘比特射出了两支箭，第一支箭射中了阿波罗，他因此而深深爱上了女神达芙妮。但是直到那一刻，女神对爱情游戏没有表现出任何兴趣，她更喜欢“身着野兽的皮毛”在森林里奔跑。她被丘比特的第二支箭射中，却对阿波罗生出一种极端的厌恶之情，但是阿波罗一直不曾放弃对她示爱[1]。达芙妮非常痛苦，她竭尽全力地拒绝他，并且逃离。她一直逃到了皮尼奥斯河边，那正是她父亲河神的居所。她乞求父亲变幻她的容貌，于是她立刻就变成了月桂树。奥维德极其细致地描述了这一幕，就像是奇幻电影的镜头那般真实：“她的祈求刚刚结束，四肢就开始麻木，轻盈的树皮包裹住她柔软的胸部，她的头发变成了树叶，手臂变成了枝丫，那双曾迅疾飞奔的脚变成了树根并牢牢地扎入泥土，树冠包裹住她的头，唯一保存下来的就是她优雅的姿态。”通常，画家与雕塑家都完美地表现出这一事件发生时的场景。故事的其他版本则表现出一些不同之处，说阿波罗一直在追赶达芙妮，使她最后不得已才变成了月桂树，她的名字本来就是希腊语中一种植物的名字。

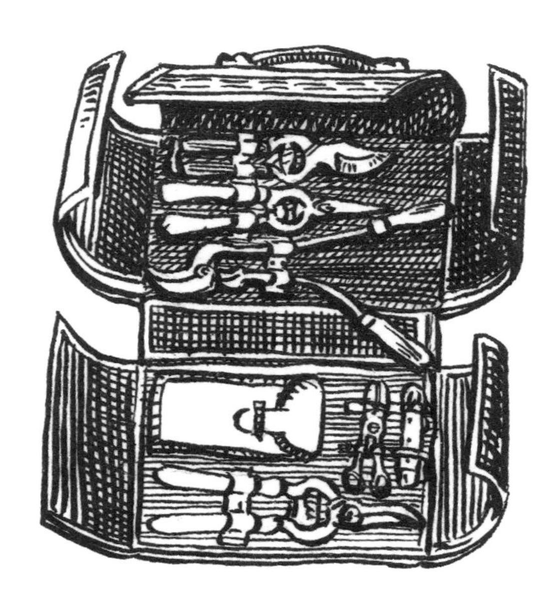

达芙妮的指甲修剪工具箱。

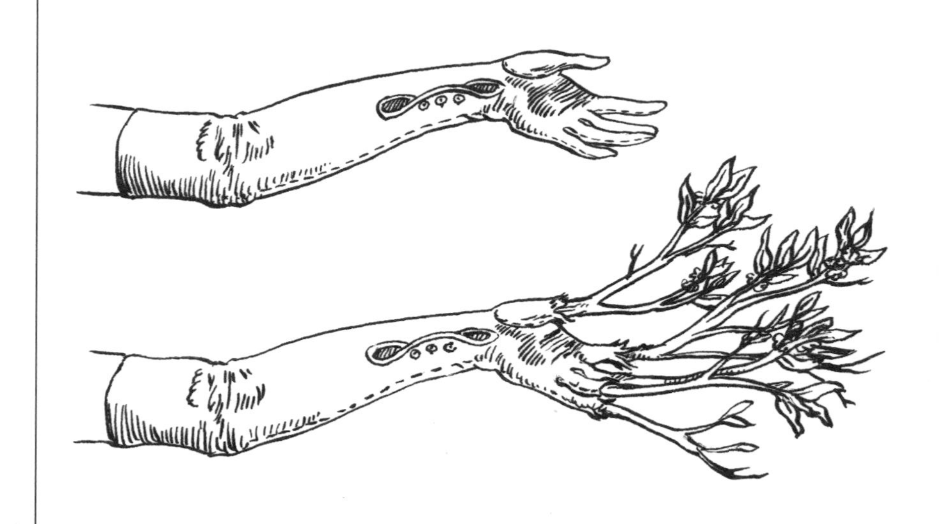

植物 – 人的嫁接。

1 希腊神话中，爱神丘比特为了报复讽刺阿波罗，将一支使人陷入爱情旋涡的金箭射向阿波罗，又将一支使人拒绝爱情的铅箭射向达芙妮。

奇怪的是，达芙妮这个名字后来变成了一种金鱼爱好者熟悉的甲壳虫的名字，即红虫（又叫金鱼虫、水蚤），它与女神之间几乎完全没有相似处。虽然很多博物学家觉得显微镜底下的红虫很可爱，但是，人们并不是因为它的外貌才给了它这样一个名字。红虫在幼虫时期的变态也不是原因，因为与大部分甲壳类动物不同，它的变态发生在卵内，所以非常隐秘。刚刚出生的红虫被认为处于“青少年时期”，相当于一个年轻的成人，它不会再发生任何变形。其实，1785 年博物学家奥托·弗瑞德里希·穆勒当时描述、命名这种虫子时，只是想影射女神达芙妮变身后的样子，因为红虫头顶上长着分叉的触角，就像是树枝。它与女神的相似之处也仅有这一点，因为红虫利用这些触角来游泳。穆勒给它取的这个名字只不过是一个新的名字，由于动物学的一些原因才变得必要——之前的名字，*Pulex arborescens*，即树枝状跳蚤，毫无理由地把它叫成了昆虫[2]。

这种把动物学和神话联系到一起的意愿并不新鲜。18 世纪—19 世纪的其他博物学家也表现出同样的幽默感，他们把古代女神或者女战士的名字赋予一系列丑陋的海生蠕虫，比如埃及女神奈芙蒂斯、希腊神话中的阿芙洛狄忒或者亚马孙女战士阿莫忒[3]。

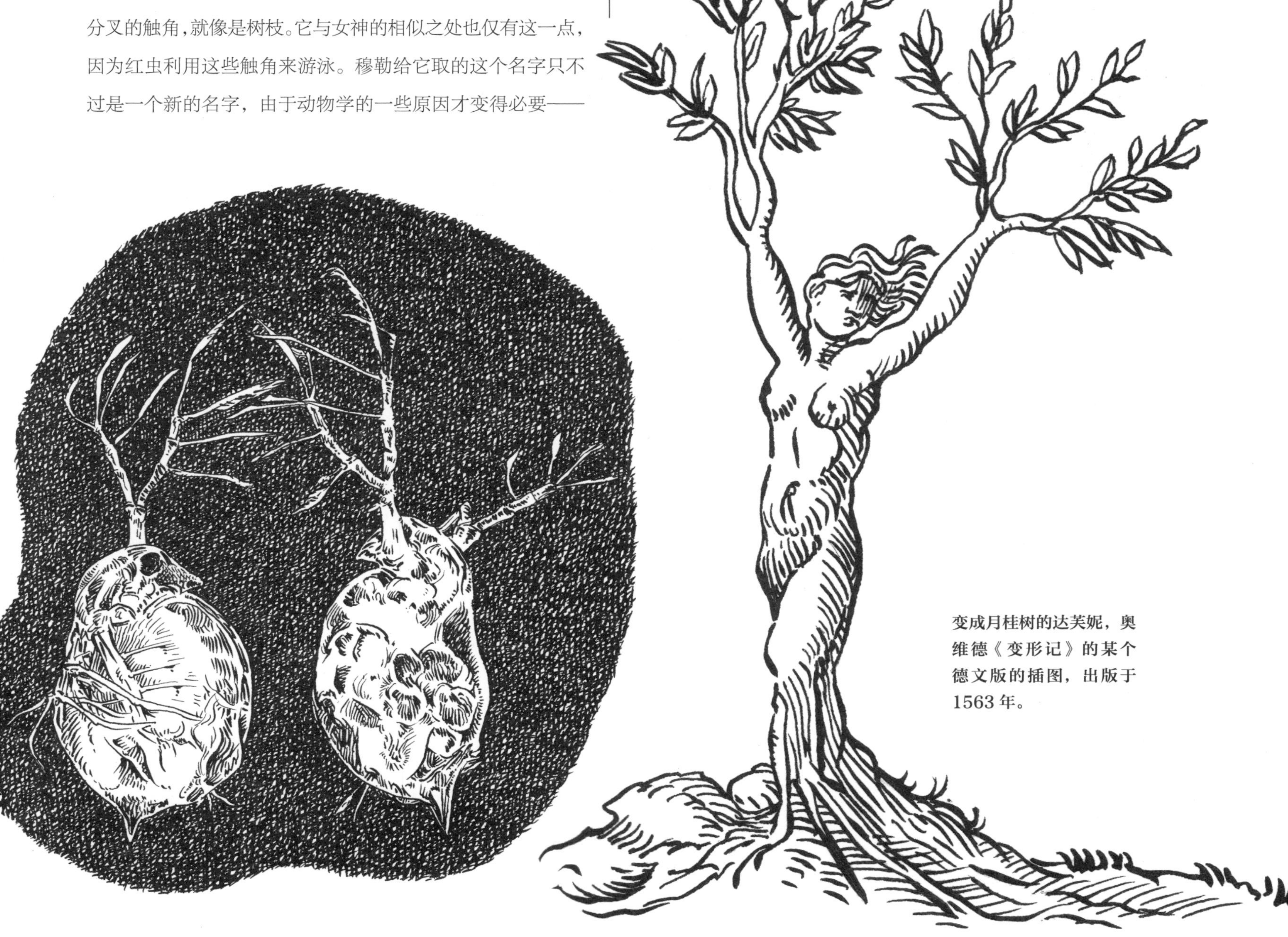

变成月桂树的达芙妮，奥维德《变形记》的某个德文版的插图，出版于 1563 年。

从动物学角度说，红虫的“手臂”其实是它的触角，但是这对触角可以用于移动。

2　红虫属节肢动物门甲壳纲，而非昆虫纲。

3　这三位女神名字的法语原文分别为 Nephtys、Aphrodite、Harmotheo，这三个词也是三种海虫的名字。

MÉTAMORPHOSE DE DAPHNÉ

月桂－女 达芙妮的变形

达芙妮的变形属于极少见的动物－植物变形。她的皮肤被树皮包裹，她的手指变成长长的分叉的树枝，脚心长出树根，扎入泥土，头顶上冒出了茎叶与花朵。

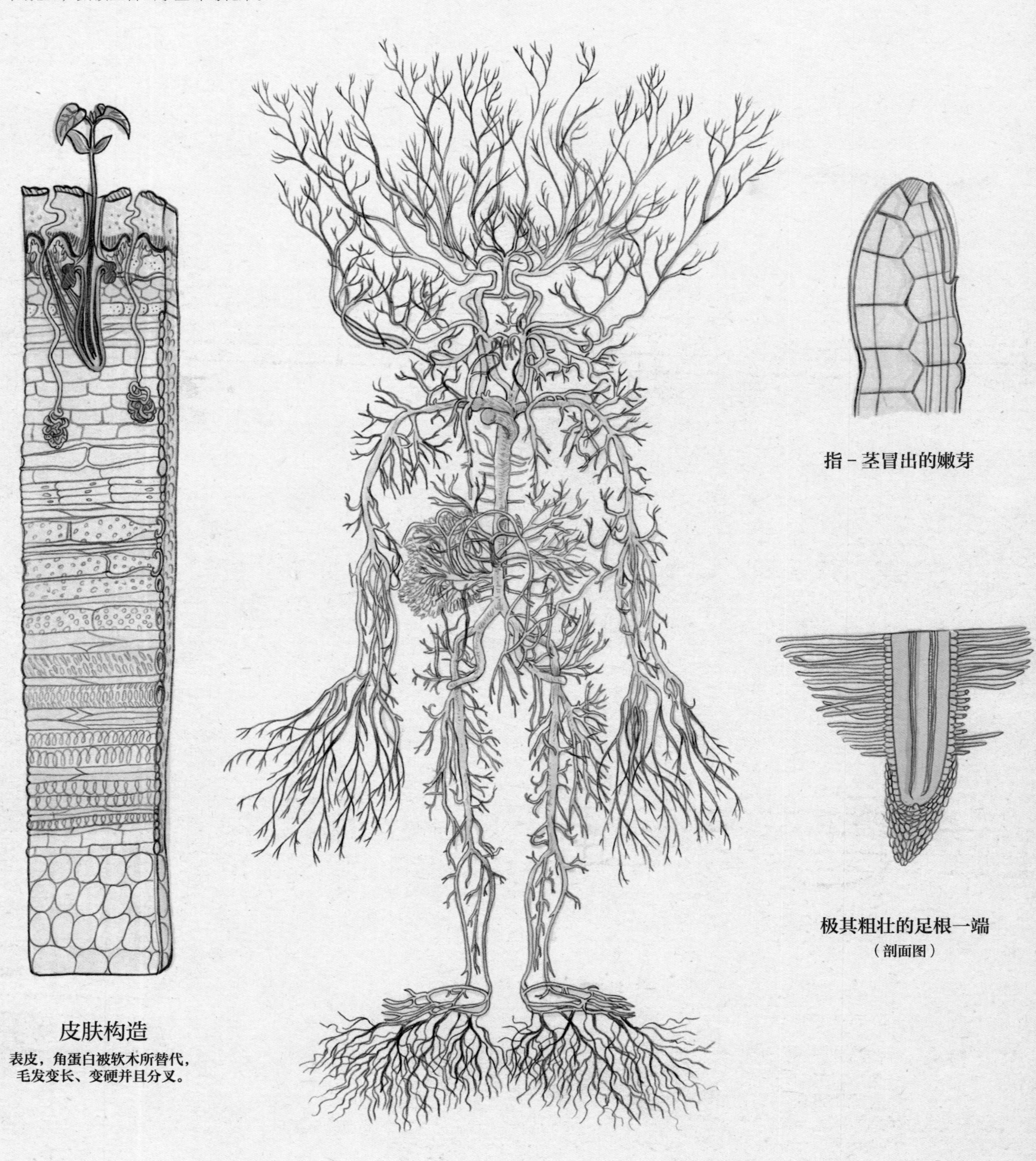

皮肤构造

表皮，角蛋白被软木所替代，毛发变长、变硬并且分叉。

指－茎冒出的嫩芽

极其粗壮的足根一端

（剖面图）

神经系统

月桂－女

FEMME-LAURIER

N° 30

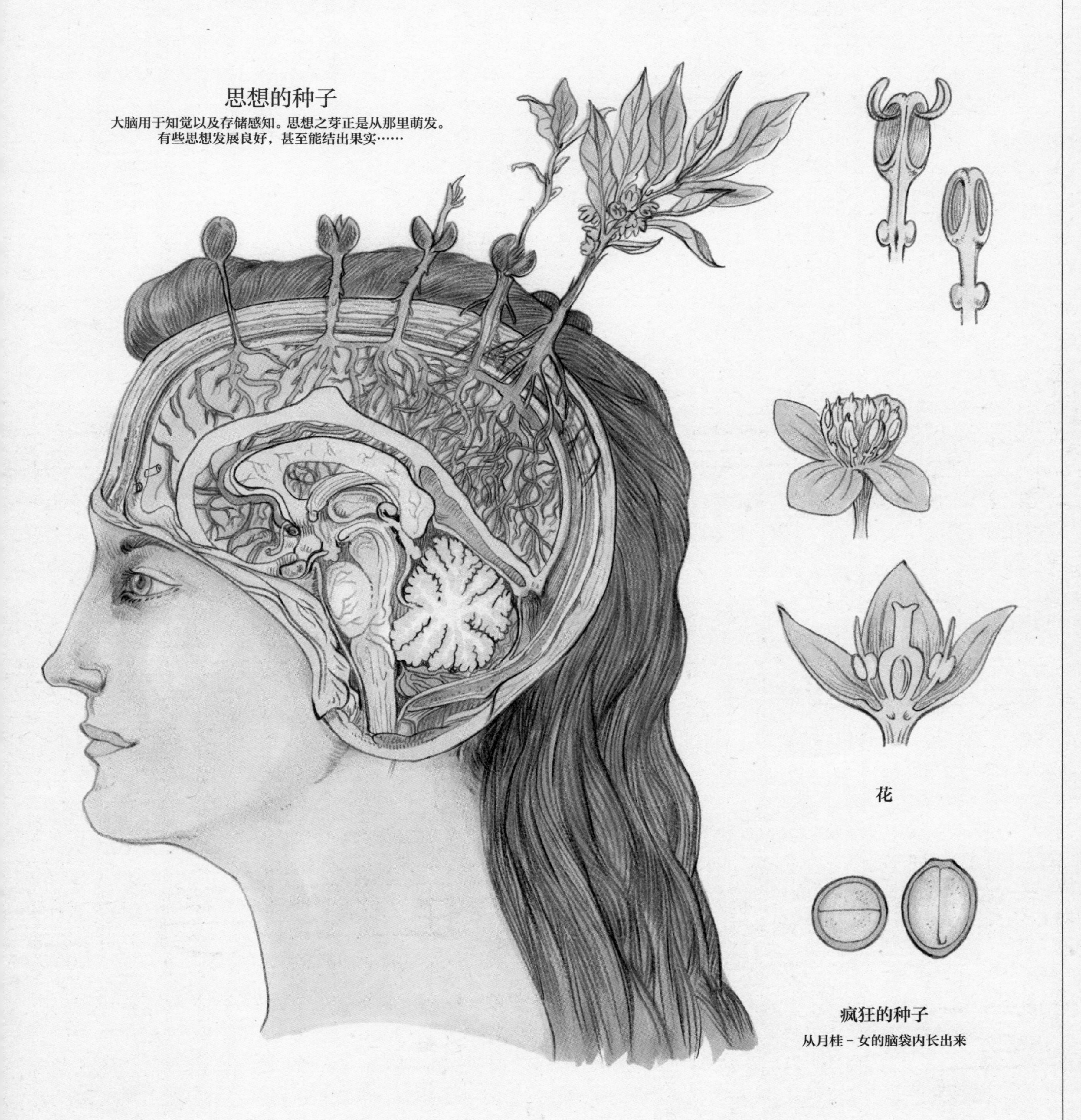

月桂－女

侧面图

（*Laura zoophyta*）

超自然博物插画
卡米耶·让维萨德 绘
奇幻学家

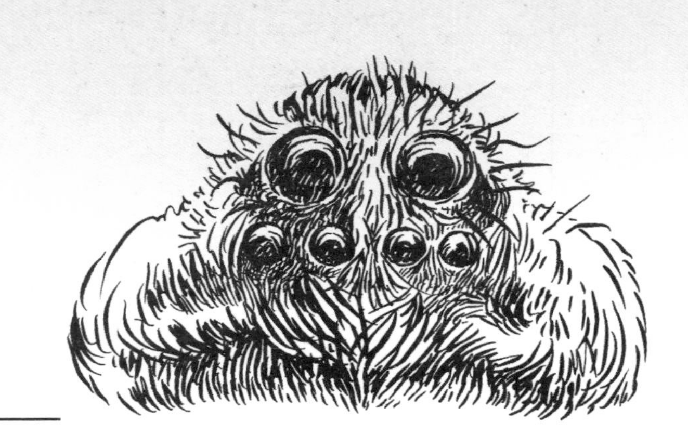

蜘蛛

织布女的噩梦

阿拉克妮是一个年轻的吕底亚女孩，织布技术非常厉害。她的名气太大，以至于惹恼了弥涅尔瓦。弥涅尔瓦在古希腊神话中又唤作帕拉斯·雅典娜，她不仅是智慧女神，也是战神以及手工艺者的保护神。阿拉克妮将自己的才艺只归功于自己，弥涅尔瓦无法忍受她的自命不凡。阿拉克妮虽然被警告，但是，她坚决不退让，反而邀请弥涅尔瓦进行对决，比比看谁的手艺更灵巧。

弥涅尔瓦在一块挂毯上绣上奥林匹斯的十二位神，中间是朱庇特，四个角上是四种变形的场景，暗示凡人胆敢和神一比高下会受到怎样的惩罚：艾慕思和罗多彼变成了山，因为他们自称朱庇特与朱诺；矮人国的王后变成了鹤；安提戈涅（拉俄墨冬王的女儿，并不是俄狄浦斯的女儿）变成了鹳。弥涅尔瓦其实是警告年轻的女孩，她的执迷与自大会导致怎样的后果。

而阿拉克妮那一边，也表现了一些变形的场景，即神的变身：他们利用这种伎俩接近无知的女人，引诱她们或者强暴她们。奥维德通过几行诗再现了二十多个传奇故事，其中涉及朱庇特、阿波罗以及巴克斯[1]，他们许多次变成牛、马、天鹅或者海豚。两个对手实际上分别表现了两种截然不同的变形：惩罚与乔装。但是受害的总是人类，而神总是通过变形去欺骗人类。

阿拉克妮的手艺更胜一筹，弥涅尔瓦怒不可遏，毁掉了她的作品。受到羞辱的阿拉克妮忍无可忍，试图用织线勒死自己。弥涅尔瓦心情平复下来，解救了阿拉克妮，但又惩罚她和她的后代像蜘蛛一样永远悬在空中。变形导致了两个矛盾的后果，女神解救了阿拉克妮，但是又把她变成了蜘蛛，这种命运应该没有人会向往。奥维德非常细致地描写了这一变形，从中可以感受到那种恐怖的气氛：“她的头发掉落，鼻子和耳朵也是。她的头变得很小，整个身体也缩小了。细长的手指变成了腿，从身体两侧伸出来，其余部分就是肚子，正是蜘蛛吐丝的地方，因此，她依旧可以像从前那样织布。”

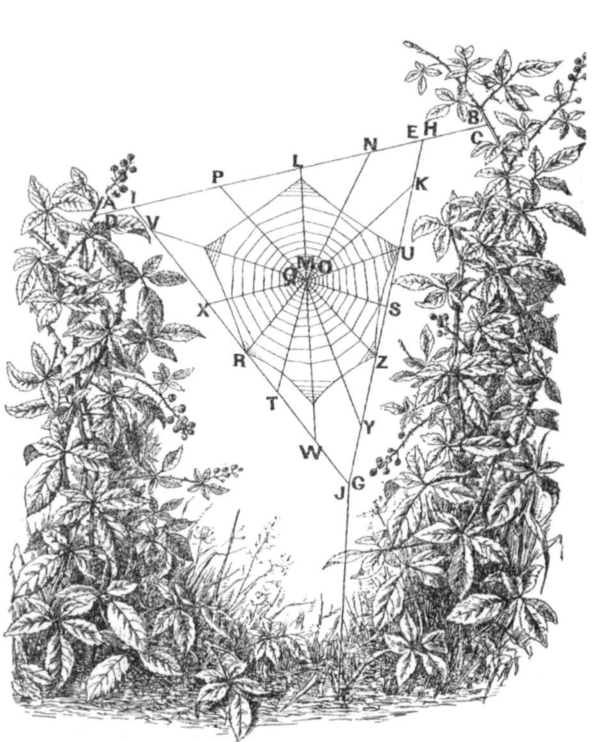

完美的几何形状，圆网蛛织的网让人想起织布女的作品。

就像达芙妮变成树，阿拉克妮变成蜘蛛的场景也总是以各种形式表现出来，但是画家和雕刻家通常喜欢把她的手指描摹得很长，像是蜘蛛的脚，同时又保留原有的女性身体的形象。只有古斯塔夫·多雷[2]挑战了真正的难题，他把四足脊椎动物变成了八脚蜘蛛。在他为但丁的《神曲》所作的插画中，他十分忠实地再现了诗人的描写。蜘蛛落在地上，面朝天，双腿已经消失，从身体的两侧长出了六只巨大的蜘蛛脚。我们想象接下去就会看见她舒展开的双臂慢慢变得坚硬，长出绒毛，成为最后的两只脚。对于大部分读者而言，这一场景实在可怖，可以拍成最可怕的恐怖电影。

实际上，蜘蛛属于极少数会让人萌生恐惧的动物，就像蛇和老鼠一样。在集市上，为了满足观众的猎奇心理，会有人专门将“蜘蛛女”丝比多拉（Spidora）展示给大家看。通过巧妙的镜子法术，一个女人的脑袋看起来仿佛长在一种蜘蛛般可怕的动物身上。而我们熟知的蜘蛛侠的变形只限于吐丝，他的外貌并没有任何变化，他没有变成虫子，也不需要织网。丝比多拉也许与阿拉克妮更为相似，因此从织布女的名字“阿拉克妮”（Arachn é）衍生出了“蛛形纲”（Arachnides）一词，用于统称蜘蛛与蝎子这类生物。

虽然蜘蛛的名声不好，但有时还会有人为它们说话，比如新教牧师皮埃尔·魏雷。在他出版于1545年的作品《论当下世界的混乱》中，作者再次把女人与蜘蛛进行比较：“如果我们考虑一下蜘蛛灵巧的手艺，想想看，有多少糟糕的家庭妇女，她们既不知道如何纺线、缝纫、织布，更不知道任何做家务的技巧，她们根本不能与蜘蛛相提并论，除了她们满满的恶毒。”蜘蛛重新被褒扬，但也是为了抨击女性！

1 Bacchus，即希腊神话中的狄奥尼索斯。

2 Gustave Doré（1832—1883），法国版画家、雕刻家和插图作家。

ANATOMIE DE LA FEMME-ARAIGNÉE N° 17

蜘蛛 – 女解剖图

变身为蜘蛛意味着身体器官数量的增加：四肢变成了八脚，脸上出现了无数只小眼睛。狼蛛 – 男会长出巨大的胡子 – 螯。

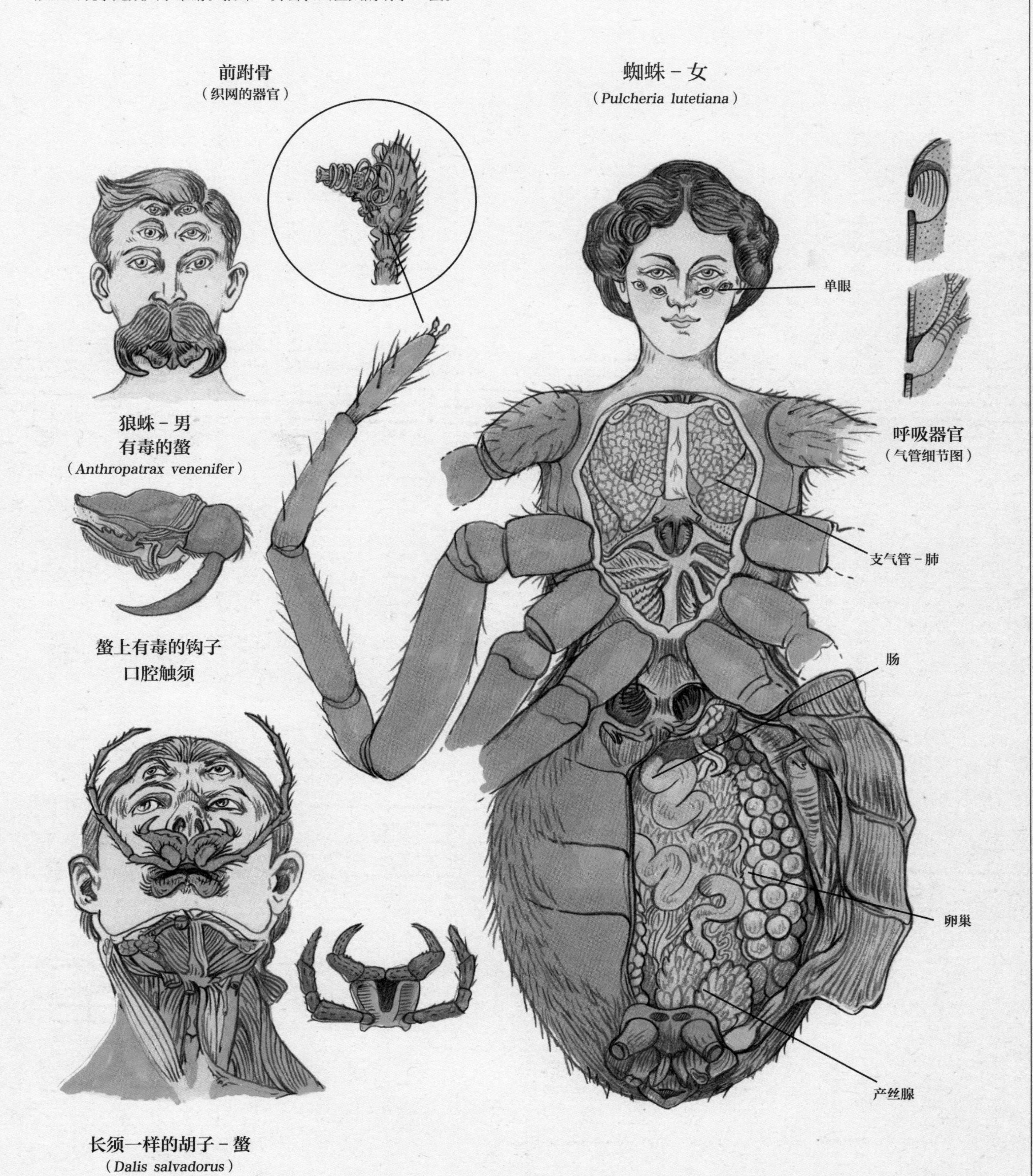

鹿以前被奉为凯尔特人的神或者是基督的象征，但是因为怯懦，它的名字从英勇的动物名单中消失了。它们的变形通常让人想到神人同形！

雄鹿

胆小的英雄

在一次狩猎中，阿克泰翁被戴安娜女神变成了鹿，因为他无意撞见她在沐浴。奥维德详尽地描写了他从人变为鹿的整个过程：耳朵渐渐变尖，脖子渐渐变长，四肢渐渐变得细长。阿克泰翁再也不能说话了，也就不能把自己看到的东西告诉别人。“泪水顺着双颊流下来，但是这张脸再也不是曾经的样子。唉！唯一保留下来的与人相关的东西便是理智。”理智，但不是脾性，因为他变得和鹿一样胆小。可怜的阿克泰翁逃走了，最后被他自己的猎犬咬死。

18 世纪时有一本著作《道德家奥维德》，作者是无名氏，他从上面的那一幕中看出耶稣变成“鹿”的原型故事，即一个人承受全人类的不幸，遭受奴役。阿克泰翁被自己的猎犬杀死，正如耶稣被自己的人民杀死，鹿角甚至被比作耶稣头上的荆棘冠。这种神话的视角并不新颖，因为从古时开始，鹿就被视作上帝的信使，正如耶稣一样。鹿角脱落然后再次长出，象征着新生。

阿克泰翁的错误并不是有心的，但是正如奥维德所言，他实际上是“被命运所裹挟”。

同一时代，读者们还可以读到另一个变身为鹿的故事，这就是梅林的故事。事实上，巫师梅林可以变成孩子、老人、野人或者鹿。鹿是一个非常崇高的形象，正如我们在小说《圆桌骑士兰斯洛特》中读到的：“他开始施法术，变成了非常神奇的样子。原来，他变成了一只鹿，从未有人见过如此高大、如此漂亮的鹿；它前面的一只脚是白色的，而且长着五只角，从未有人在一只鹿的头上看见过如此威严的角。”

中世纪末，变形不再令人向往。它们被认为是魔鬼的杰作，因为人变成动物这一行为违

同一般动物的角不同，鹿角每年冬天会脱落，然后在春天重新长出来。

背了创世纪故事，本来应该是神按照自己的样子创造了人。神学家亨利·博盖认为，别名“朗格卢瓦”（l’Anglois）的梅林是“魔鬼与凡间女子结合所生”。然而之后他又隐晦地说，这事不太可能，因为生怕自己被人视作异端，使鹿失去了它的崇高感。16世纪时，萨瓦的议员查理·埃马努埃尔·德·维勒出版了一部非常严肃的法律著作，在这部著作里，他提到了阿克泰翁：如果说女神选择把他变成鹿的样子来平息自己的怒气，是因为，鹿是速度的象征，阿克泰翁的命运教育大家“一定要逃跑，要避免遇见、接近女人，正如圣人的教导一样”。

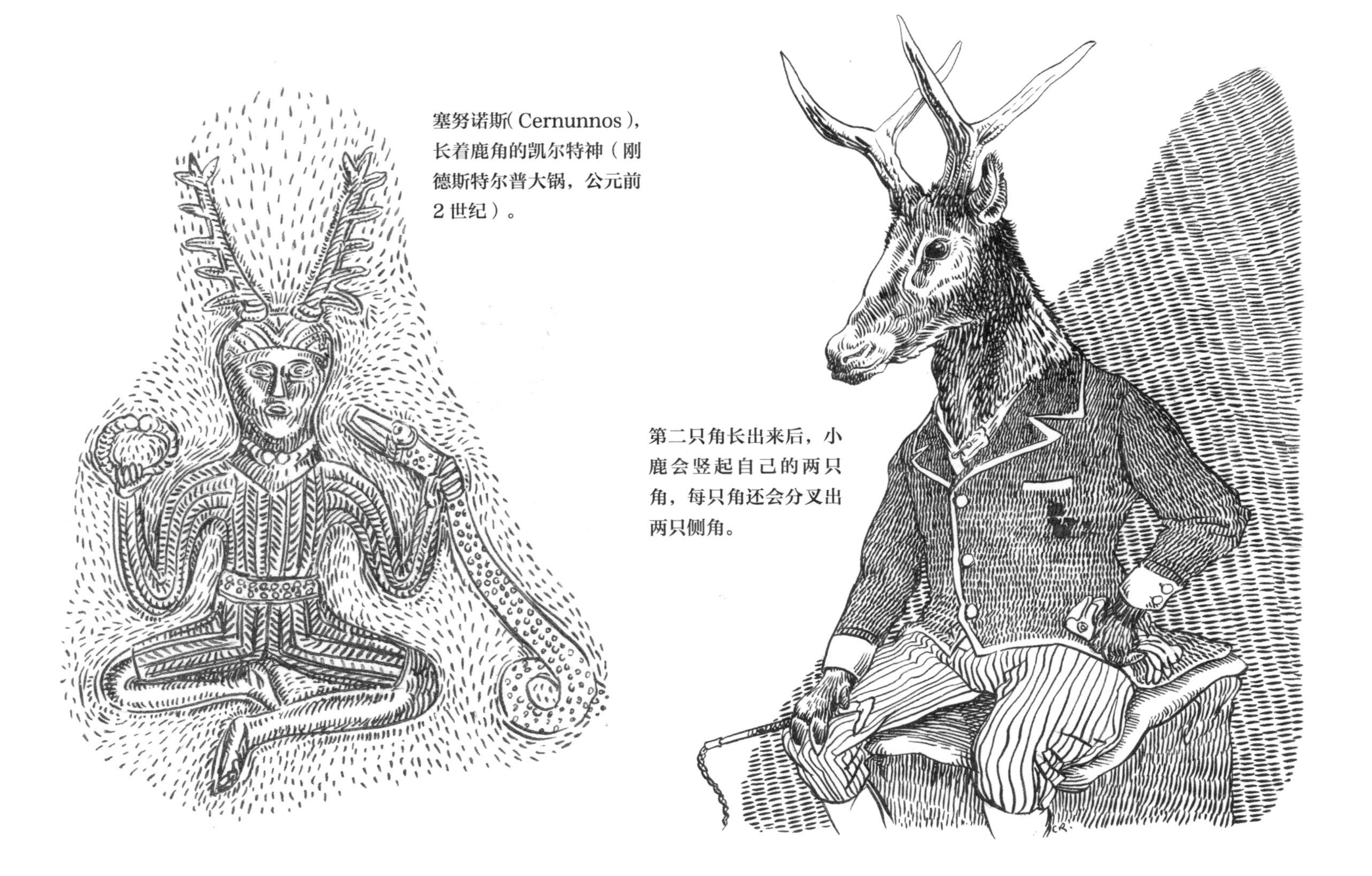

塞努诺斯(Cernunnos)，长着鹿角的凯尔特神（刚德斯特尔普大锅，公元前2世纪）。

第二只角长出来后，小鹿会竖起自己的两只角，每只角还会分叉出两只侧角。

某些寄生虫的存在得以让动物学可以与童话故事、宗教信仰以及电影一争高下，它们为各种僵尸传说提供了一种生物学的佐证。

老鼠与黑猩猩

“夺魂”寄生虫

美洲热带地区的树蚂蚁[1]有时会被一种线形寄生虫（*myrmeconema*）寄生。这一过程通过一种真正的变形表现出来：蚂蚁的腹部一般是黑色的，且很长，被寄生后却会变成一个臃肿的红色球体，像一颗奇怪的果实。尤其是，此时蚂蚁行进的速度非常慢，腹部还向上翘起，这情景着实奇特。鸟儿们也被欺骗了，平时它们对这种蚂蚁避之唯恐不及，现在却将其吃进肚子。蚂蚁在这一过程中得不到任何好处，但是寄生虫却可以继续在鸟的器官里不断繁殖，它们的后代还会随着鸟的粪便排放出来，然后再去侵入其他的蚂蚁。蚂蚁的这种自杀行为很好地解释了这种线形寄生虫的别名“夺魂”寄生虫。虫子引发的变形让人想起伏都教巫师制造的“活死人”，被麻醉的“活死人”为巫师的意志所控制（那时法语中的 revenant 一词还没有变成美剧中嗜血的“僵尸”）。

寄生虫的生命周期通常很复杂，因为它们在不同的环境中先后有好几个寄主。寄生虫引发的失魂现象实际上是为了简化自己从一个生命阶段向另一个生命阶段的转变，以牺牲寄主的生命为代价。动物学家描述过许多这样的情况，其中有一种情况与我们人类息息相关。那就是弓形虫，一种会引发弓形虫病的单细胞生物。这种病对于成人而言并不是严重的疾病，但是如果孕妇感染这种病，可能会导致严

被线形寄生虫感染的蚂蚁看起来更能激发鸟类的食欲。

1 *Cephalotes*，又称龟蚁。

黑猩猩是豹子最喜欢的猎物。

人类与倭黑猩猩有最近的亲缘关系。

重的胚胎畸形。

在弓形虫的生命周期里，它首先会在猫科动物（比如猫）的肠子里繁殖，形成一个个囊合子，这是一些非常坚硬的“卵”，然后随动物的粪便排出体外。这些囊合子会被其他动物（哺乳动物或者鸟类）吃掉。在这个新的寄主体内，囊合子会发生变化，损害寄主的免疫系统和神经网络。为了重新开始自己的生命，寄生虫会再一次侵入猫科动物的肠子。

正是通过这样一个过程，弓形虫展现了自己“夺魂”的本领：让自己被吃掉。生物学家已经可以在被弓形虫感染的小白鼠身上证实这一事实。正常情况下，小白鼠这种啮齿动物非常惧怕猫尿的味道，但是被感染的小白鼠反而会被吸引过去。它们大脑里的弓形虫促使它们采取这样一种自杀性的行为！当猫吃了被感染的鼠后，弓形虫又可以开始自己新的生命了。

但是人类与这种猫 - 鼠之间的联系有何关系呢？难道人类也会被其他生物“夺魂”而变身僵尸吗？ 2016 年，生物学家在豹子（相当于猫的角色）和黑猩猩（相当于老鼠的角色）身上观察到了类似的现象。感染了弓形虫的黑猩猩会被豹子的尿所吸引，但是豹实际上是黑猩猩最大的敌人。对于人类而言，我们知道寄生虫会引发神经系统的很多病变：反应时间变长，注意力下降，以至于有人甚至怀疑弓形虫病对车祸的影响。正如实验中的黑猩猩，在人类史前祖先生活的时代，这种病也许是导致人类面对大型猫科动物时走向灭亡的辅助性因素。

变成寄生虫的傀儡是一种程度非常浅的变形，后果却很严重。这就让我们想到另一个问题：弓形虫是不是养猫人对自己的猫言听计从的罪魁祸首呢？这种失魂症虽然不严重却极其普遍呢。

厉害的猫总能遇到厉害的老鼠（格兰德维尔[*1]，1845 年）。

*1 Grandville 或 Jean-Jacques Grandville（1803—1847），法国著名讽刺漫画家和插画家。

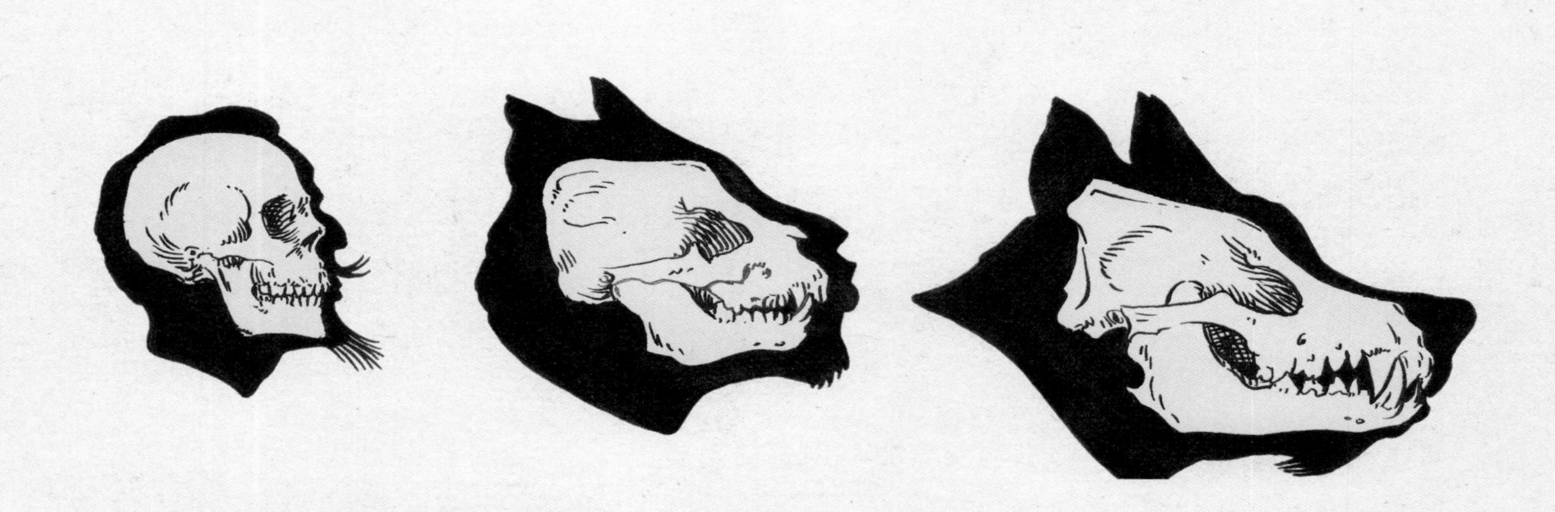

第3章

MÉTAMORPHOSES TEMPORAIRES

—

暂时的变形

某些变形是可逆的，要么是因为两种不同生物的特质同时出现在一个生物上，要么是因为厄运只是暂时的。为了变回本来的样子，就必须先变成其他的样子。

狼人 64

白熊的皮 68

天鹅 70

蝙蝠 72

蛇 76

孔雀 80

驴子 82

这可以说是一个关于变形的经典形象，在文学与电影中已经被固化。以前有各种各样的狼人，通常都很危险，但有时又令人惊奇。

狼人

惩罚或奥义

以前，如果一户人家连续生了七个男孩，那么最小的那个就会被唤作“马尔库”（marcou），这个名字直到今天依然有人在使用。一般而言，马尔库身上带有一个百合花图案的印记，他还往往拥有一些特殊的能力，比如可以治愈颈部结核性淋巴炎（长在脖子上的结核性淋巴炎）。无论是他的名字还是他神奇的能力，都让人想起圣马尔库勒（也许是马尔库夫），因为这位圣徒具有同样的禀赋。有些学者认为“马尔库”音同 mal de cou[1]，但是另一些学者认为这个名字源自日耳曼语 Mark-Wulf，意思是“边界的狼”。

这一与狼的联系大致可以解释其他一些与第七个儿子相关的信仰。在加利西亚，如果第七个孩子不选择前面某个哥哥作为教父，他就很可能变成狼人。南美洲也有同样的信仰，传说第七个孩子会在月圆之夜变身为 *lobison*，即西班牙语的“狼人”。在阿根廷或者巴拉圭，第七个儿子往往会因此被抛弃或者杀害，这是俄罗斯移民带到那里的风俗传统。但是自 19 世纪以来，社会习俗希望总统作为这些孩子的教父，这样就可以保护他们免遭不幸。1973 年，当时的阿根廷总统胡安·贝隆通过一项法令将这一庇护行为合法化；2014 年，这一保护政策再一次被通过。

地区不同，狼变人（这一变形是可逆的）的缘由也不同。奥维德讲述了阿尔卡迪王莱卡翁的故事，他给朱庇特吃人肉，使朱庇特十分生气。莱卡翁罪有应得，所以才会变形：“他的衣服变成了皮毛，他的双臂变成了爪子。虽然变成了狼，但是他仍然保留着人的一些特征。他的毛是灰色的，就像以前的头发，他的脸依然像以前那样显出暴戾之气，他的眼睛里依然闪烁着同样的怒气。全身上下都流露出曾经的残酷……他易怒、嗜杀，总是怒冲冲地扑向动物，将它们撕碎，欣喜若狂地舔舐它们流出的血。”

莱卡翁的变形无法再逆转，因此，准确而言不能把他看作狼人，虽然他可能是最早受到这一诅咒的人。其实，2 世

1 意思是“脖子痛”。这个短语的发音与单词 Marcou 的发音相似。

两个“森林人”或者说“加纳利群岛的野人”，阿尔德罗万迪[*1]绘于 1642 年。佩德罗·孔萨莱斯[*2]和他的儿子并不是狼人，但是他们患有严重的先天性遗传多毛症。

*1 Ulisse Aldrovandi（1522—1605），意大利科学家。

*2 Pedro Gonsalez（1537—1618），又写作 Pedro Gonzales 或 Petrus Gonsalvus，西班牙人，史上第一个被确诊得了先天性遗传多毛症的人。

猎犬飞奔时，根本分不清是狼还是狗。

纪希腊地理学家保塞尼亚斯提到，“阿尔卡迪人都说，莱卡翁之后，在祭祀朱庇特时，有人也被变成了狼，但这些人不会一辈子都是狼。变成狼以后，如果他们不吃人肉，十年后就会恢复人形；如果一直吃人肉，那就只能一直是狼的模样”。是否会遭遇这一厄运纯属偶然。所以这与惩罚无关，而是为了培养捕猎者的品质，这对其而言很有用，猎人最后都会恢复人形。普林尼把它看作一个简单的寓言故事，但是其他人认为这一神话描述了某种萨满教的仪式。

在创作于大约1280年的《比斯克拉弗雷的故事》这部叙事诗中，作家、诗人玛丽·德·弗朗斯讲述了一个非常不一样的狼人故事。比斯克拉弗雷是一个布列塔尼的狼人，作者确定，比斯克拉弗雷（bisclavret）这个词相当于诺曼底语中的garwal（或者garulf）[2]。这位布列塔尼的领主每个星期都会消失三天，他的妻子强烈要求了解其中的缘由，他回答道：“夫人，我变成了狼人。我去了那片广阔的森林，直到林子最深处，在那里我以捕食猎物为生。”结果她背叛了他，把他的人形衣服藏了起来，阻止其恢复人形。在一次狩猎过程中，他被国王抓获，他对所有人都极其友善，除了后来与他妻子结婚的那位骑士。是什么原因迫使他必须变形，我们并不清楚，但是在故事里，真正的坏人是他的妻子及其新丈夫，最后这两个人都受到了惩罚。19世纪末，保罗·塞比约收集了大量的民间故事和宗教故事，这些故事也许可以为我们解开不幸的领主遭遇厄运的谜团：“在下布列塔尼地区，以前大家都相信，变成狼以后，人的寿命可以延长10年，不需要忏悔也不需要祷告。”诺曼底的神父会威胁罪行的目击者，如果他们不揭发罪犯，他们就会变成狼人。这一切都可以解释为什么以前在乡下狼人是如此常见！朱利·米什莱[3]曾经如此评价亨利·博盖法官在16世纪时驱赶巫师和狼人的行为：“他有仁慈之心，先把他们（巫师）绞死，然后再扔进火里，但是对待狼人就不同了，他一定会万分小心地用火把他们活活烧死……从来没有见过这样尽心尽职的杀戮者。”

由狼脑袋构想出的狼人容貌（查理·勒·布朗，绘于约1670年）。

2 这三个词都是“狼人”的意思。

3 Jules Michelet（1798—1874），法国历史学家。

MÉTAMORPHOSE DU LOUP-G

狼人的变形

在变身的前几天，狼人对光表现出极大的敏感。狼人的变形发生在月圆之夜。人慢慢变成狼的样子。他的皮肤会覆上厚厚的毛发，骨骼和肌肉也会发生极大的变化。

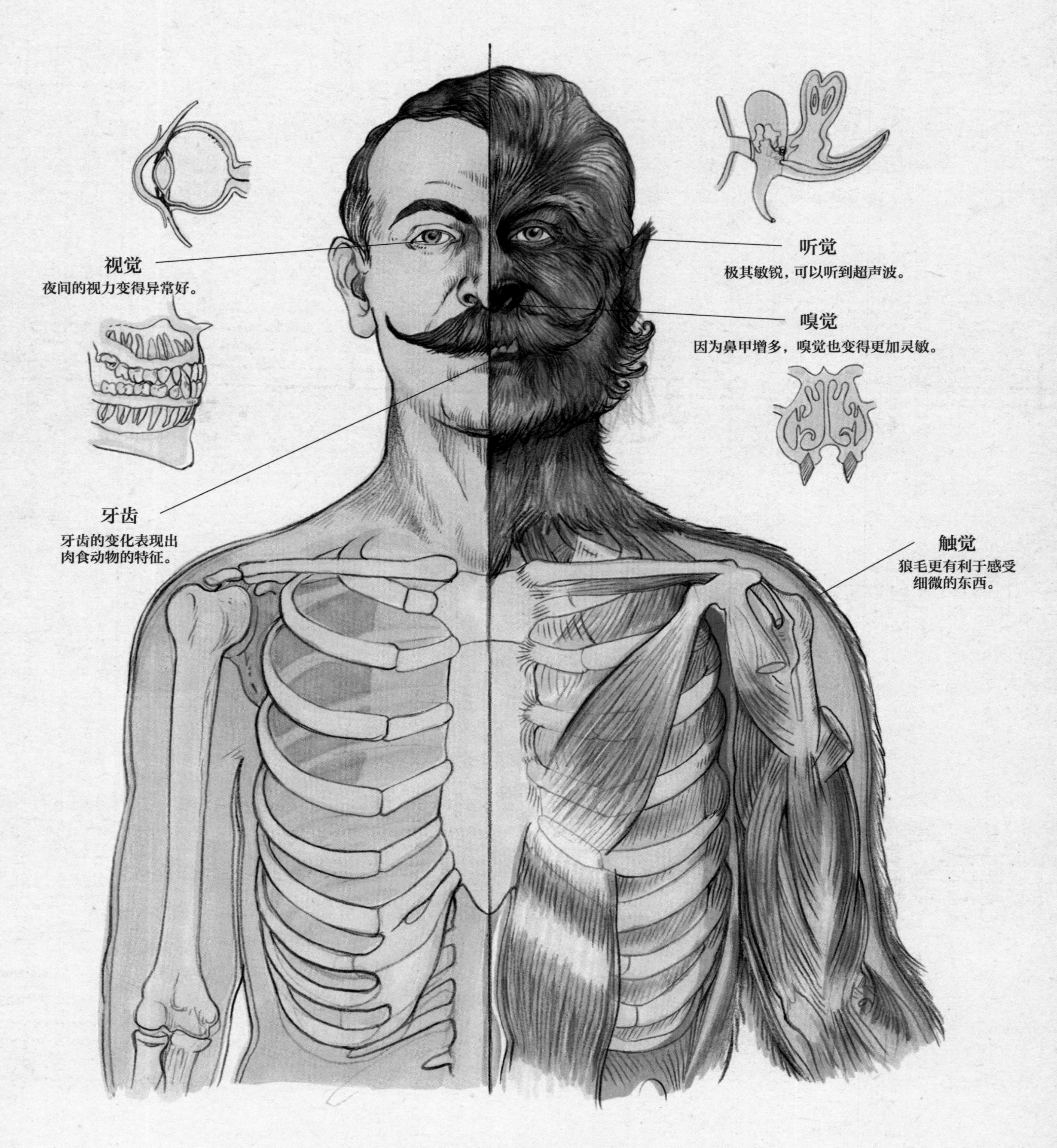

狼人的感官

知觉的极大拓展

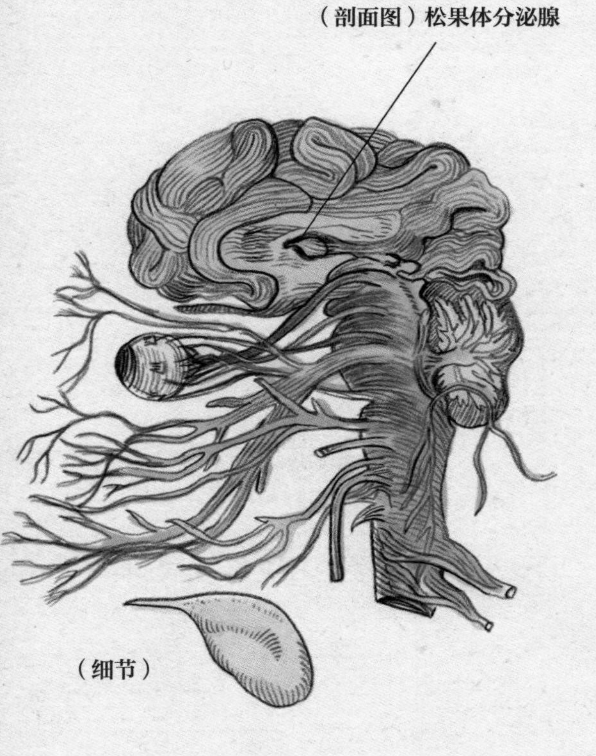

第六感

变形是在松果体分泌腺的刺激下开始的，
每个月，月亮逐渐变圆时，松果体就会慢慢变大。

狼人的目光

变形结束后，狼人与真正的狼区别很小，
但是它的眼睛保持着人类的样子，所以我们可以通过直视它的眼睛来辨认它原来是谁。

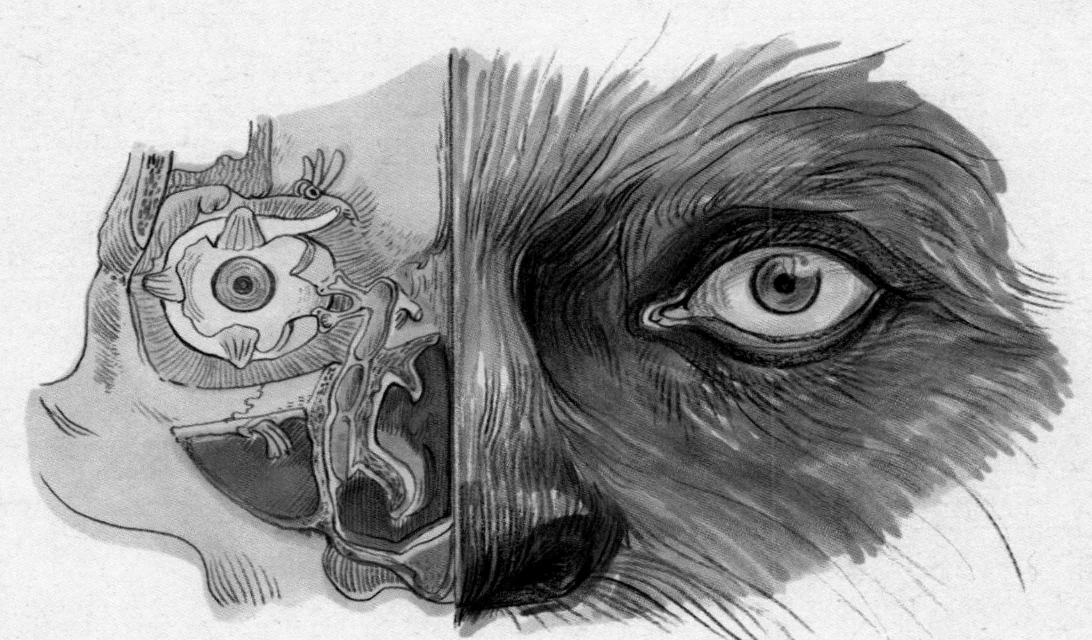

眼球与肌肉：
眼眶正面图

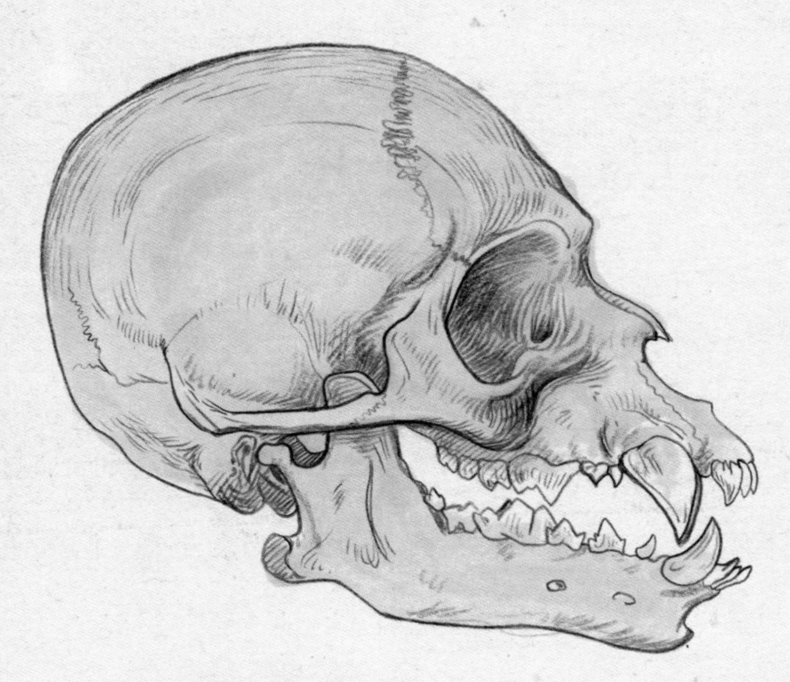

变形中的头颅与牙齿

耳朵

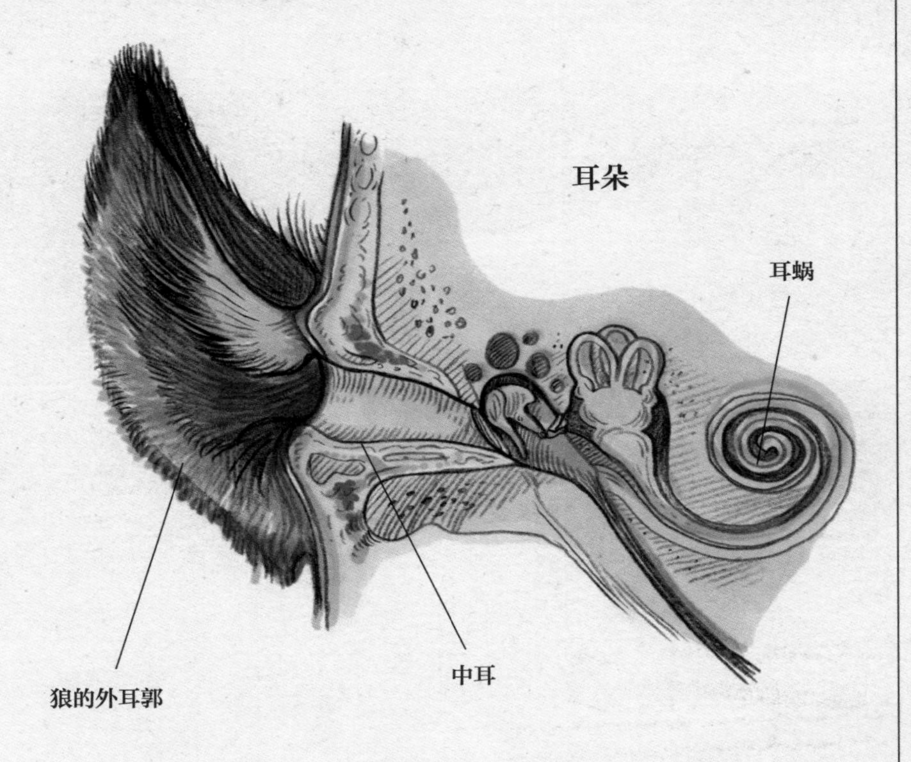

超自然博物插画
卡米耶·让维萨德 绘
奇幻学家

乔装是否算变形呢？世界各地的神话故事和民间故事都告诉我们：穿上另一种动物的皮毛是很容易的事！

白熊的皮

皮毛与羽毛

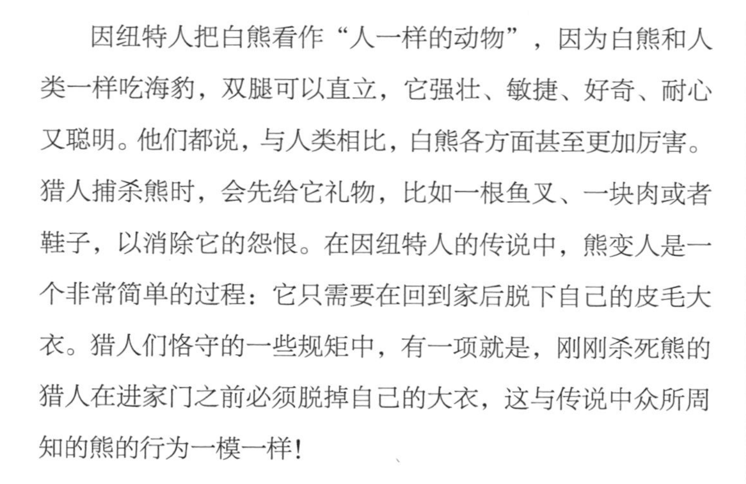

因纽特人把白熊看作“人一样的动物”，因为白熊和人类一样吃海豹，双腿可以直立，它强壮、敏捷、好奇、耐心又聪明。他们都说，与人类相比，白熊各方面甚至更加厉害。猎人捕杀熊时，会先给它礼物，比如一根鱼叉、一块肉或者鞋子，以消除它的怨恨。在因纽特人的传说中，熊变人是一个非常简单的过程：它只需要在回到家后脱下自己的皮毛大衣。猎人们恪守的一些规矩中，有一项就是，刚刚杀死熊的猎人在进家门之前必须脱掉自己的大衣，这与传说中众所周知的熊的行为一模一样！

挪威人认为，猎熊是一项危险的活动。

只是简单地改变一下外皮就能变形，这种能力在北极流传的许多故事中都有提及。西伯利亚的科里亚克人盛传这样的故事：世界之初，动物脱下自己的外皮就能变成人，相反，人穿上动物的皮毛就能变形。事实上，每一种事物在其外表下都隐藏着人的样子。戴上一顶白点圆帽，就会变成毒蝇伞。男人穿上女人的衣服就会变成女人，女人穿上男人的衣服就会变成男人。这里的变形实际上并不是真正的变化，而是通过穿上外衣暂时借用另一种身份。人与兽两种属性其实是并存的，而且人的属性一直都存在，因为脱去外衣就能发现一切。

因此，要阻止这样的变形发生其实非常简单，只需要把皮毛藏起来或者毁掉就可以了！民间故事中经常出现这样的情节，年轻的女孩为了帮助自己的父亲摆脱不幸的命运，不得已与狼、野猪、青蛙成婚。在弗朗斯瓦－玛丽·路泽创作的《下布列塔尼地区的民间故事》一书中有一个题为《灰狼》的故事，新婚的妻子发现自己被迫与之成婚的狼实际上是一个年轻、英俊的王子，只是披着狼皮而已。一天，她的丈夫要出门，“叮嘱她细心照看好他的皮毛，不要沾水，也不要靠近火：因为如果做不到，她就永远不能再见他，除非踏破三双铁鞋去找他”。不幸的是，新婚妻子的一个姐姐把狼皮扔进了火里，她不得不历经重重险阻，最后才找到了自己的丈夫。

虽然变形后的动物各种各样，但这样的变形故事在世界各地广为流传，比如在法国布列塔尼、德国流传的天鹅女的故事，或者著名的俄罗斯民间故事《聪明的瓦西丽萨》。在布里亚特的一个民间故事中，一个年轻的猎人看到贝加尔湖上有九只天鹅，它们在岸边脱下羽衣，变成了九个美丽的少女。他把其中的一件羽衣藏了起来，无法飞走的少女只能与他成婚。他们生了九个孩子，这九个孩子便是布里亚特九个民族的祖先，最后妻子找到了自己的羽衣，从蒙古包的烟囱里飞走了，离开前它承诺将永远保护自己的孩子。因为天鹅－母亲的承诺，每年都会有许多白色的天鹅回到贝加尔湖。

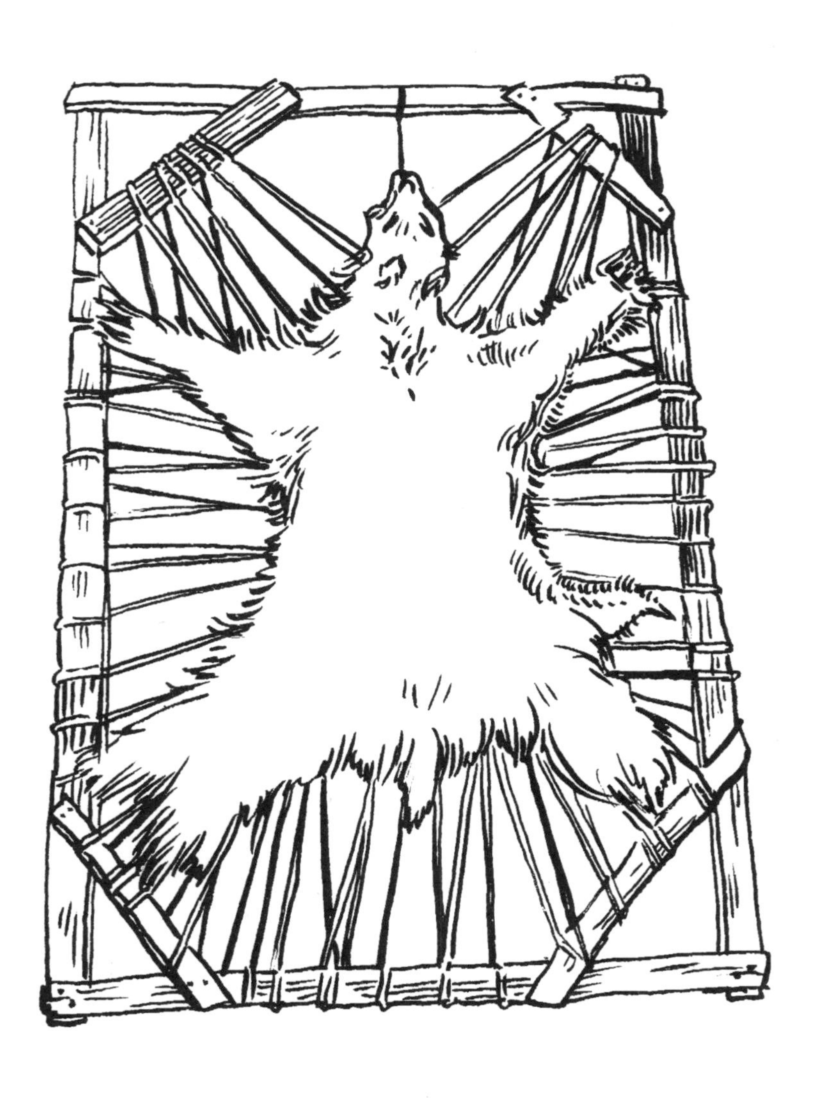

熊皮一旦被晒干就有其他的用处。

从某个距离遥看大熊，它的身影与一个高大的人十分相似。

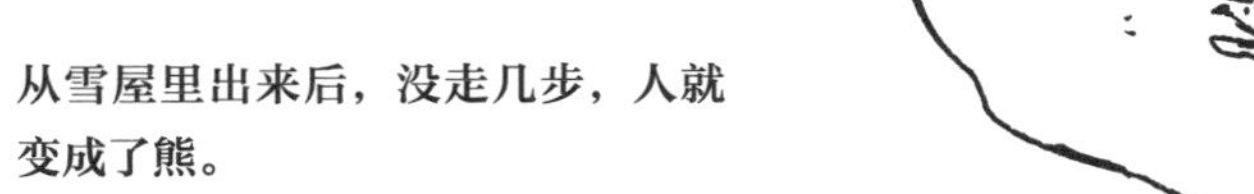

从雪屋里出来后，没走几步，人就变成了熊。

几百年以来，勒达与天鹅的爱情故事出现在许多画家与雕塑家的作品中。但是究竟是什么缘故，宙斯会选择变成天鹅去引诱年轻美丽的公主呢？

勒达与天鹅（公元1世纪时期罗马的油灯灯盏）。

天鹅

天鹅之爱

没有人知道宙斯选择变成天鹅，是因为它的优雅还是因为它的勇敢。

布封[1]认为，天鹅好比国王，它流露出“温柔、庄严”的气质，恰恰与鸟中的暴君——鹰截然相反。它被赋予各种各样美好的品质，博物学家认为它“伟大、庄重、温柔，充满力量与勇气，而且它具有坚定的意志力，不会滥用自己的力量，只在危难时使用。此外，也不可忽视它出众的外表：身姿优雅，体形圆润，形态高贵，羽毛洁白光亮，一举一动都极其柔软、细腻”。他接着又写道：“所有的画家都把它画成爱情之鸟，一切都证实了那个有趣的神话故事：这只美丽的鸟正是后来人间最美的女子的父亲。”这里所说的美人便是海伦，特洛伊战争便是因她而起。

1 Comte de Buffon（Georges- Louis Leclerc），法国著名博物学家、作家。

她的出生源于宙斯的一次变形。宙斯当时变成了一只天鹅，被一只鹰追赶。勒达公主正在河边洗浴，天鹅最后躲在她的怀里才躲过一劫，但是它趁机引诱公主。有一个版本认为，鹰实际上是阿芙洛狄忒，她一直处心积虑想要报复勒达的父亲。不管怎样，勒达最后产下了两枚蛋，其中一枚蛋孵化出了克吕泰涅斯特拉和卡斯托耳，另一枚蛋则孵化出了海伦和

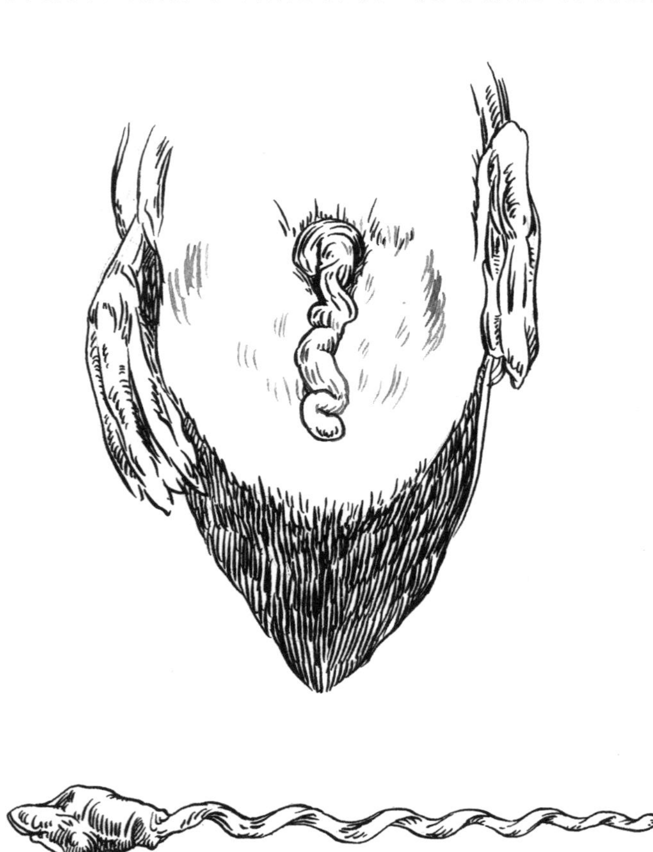

鹅与鸭的阴茎（11厘米）。

《勒达与天鹅》，路易·科尔塔，绘于 1875 年。

波鲁克斯。可以看出，勒达间接地受到了变形的宙斯的影响，因为她像鸟那样产下了蛋。

宙斯变成的天鹅与勒达的爱情故事成了许许多多艺术作品的题材。古代的浅浮雕作品中，天鹅与勒达几乎一样高，而且经常是彼此缠绕在一起。有时天鹅用脖子支着勒达，就像雄天鹅对待雌天鹅那样；或者天鹅亲了一下年轻的女孩，而女孩似乎也十分乐意。几百年里，米开朗琪罗、委罗内塞、席里柯、达利以及许多其他艺术家都曾借用这古老的神话故事进行创作。在画家布歇的一幅画作中，勒达欣喜若狂地迎接天鹅的到来。天鹅竖起自己的脖子，向她伸去。在他的另一幅画作中，天鹅把自己的脖子伸向勒达的私密处，很明显女孩主动将自己献给了天鹅。意大利语中的 uccello 一词，既指“鸟”又指“男性的性器官”。

有时许多人对宙斯的选择表示不解，为什么要变成天鹅来发泄情欲呢？要知道，鸟类并没有男性的阴茎。其实，天鹅和鹅、鸭一样，雄性的性器官存在于泄殖腔的乳突内。鸟类要实现繁殖，雄鸟的这一器官就必须伸入雌鸟的泄殖腔内，相当于阴道。鸭子的这一器官通常长 5 ~ 9 厘米，但是阿根廷鸭的这一器官长达 45 厘米，几乎有它大半个身体那么长！而天鹅的这一器官要更短些。

如果说鸭子在交配时非常粗鲁，天鹅则要温和得多，这与宙斯平时的粗暴性格形成了鲜明对比。法国著名博物学家布封是这么写的：“交配的天鹅给予对方最温柔的爱抚，仿佛要在愉悦中细细品尝不同的快感；它们先将脖子缠绕在一起，预示着一切即将开始；它们深深地拥抱对方，沉醉地呼吸；它们彼此传递吞噬它们的灼热，直到最后雄天鹅充分得到了满足；但是此时，雌天鹅依然被灼烧着，它追赶雄天鹅，撩拨它，再一次点燃它的欲望，最后，雌天鹅只能悻悻地离开，跳入水中，平息余下的欲火。”

阿尔德罗万迪于 1642 年绘的鹤－人。直到文艺复兴时期，欧洲各地都流传着鸟－人的各种绘画。

吸血鬼与蝙蝠，它们之间的联系似乎源于它们都与黑夜相关。但实际上，这是动物学家的臆想！

蝙蝠

吸血鬼动物学

对于人类而言，变成鸟看起来似乎是一件美事，变成蝙蝠似乎就很少会被接受。虽然蝙蝠一样会飞，看似可以满足人类由来已久的梦想，但是它永远都是在黑暗中飞，这就大大减少了飞行的妙处。蝙蝠的长相一般也不讨人喜欢，它喜欢吃昆虫，喜欢倒挂着睡觉，这些习性都叫人很难喜欢上这种动物。

现代英雄人物中，蝙蝠侠是少数几个没有任何超能力的英雄之一，因为他去执行任务时，其实是经过了一番乔装打扮。他并没有变形，与真正的蝙蝠也没有任何关系，除了他也喜欢在夜间行动。在我们的想象中，唯一与蝙蝠相似的生物是吸血鬼，即活死人，夜里他从墓中出来去吸活人的血，大家都认为他可以变成蝙蝠。自从吸血鬼变成了一种神话，电影使人们习惯了这样一种形象。

但是吸血鬼与蝙蝠之间的联系并不是表面上的那么确然。黑夜显然是一个重要的因素，但是许多其他动物也喜欢在黑夜活动。某些语言学家认为，法语中的 chauve-souris（蝙蝠）来源于 kāwa 这个词，这是古时法兰克人所讲的语言，指“猫头鹰”。我们头脑中又会浮现被诅咒的爵士的模样，他穿着黑色的斗篷，张开双臂，就像鸟儿张开翅膀飞行。1931 年，导演托德·布洛宁在电影《德古拉》中就运用了这一形象，蝙蝠在女主人公的窗前飞来飞去，通知她危险正在逼近。但是，导演同时还运用了其他动物，比如负鼠以及犰狳。导演之所以做这样的选择，大概是因为他是得克萨斯人，而且故事本身也不完全是以蝙蝠为中心。1917年，德国导演茂瑙的电影《诺斯费拉图》为观众呈现了鬣狗、老鼠、蜘蛛，甚至还有水螅，它被称作淡水中的吸血鬼，“透明、无形，仿佛是幽灵……”这个“吸血鬼”细长的模样可一点都不像蝙蝠！

据说真正的吸血鬼喜欢拉丁美洲的夜间生活。

这些电影都改编自 19 世纪创作的小说，尤其是布莱姆·斯托克创作于 1897 年的《德古拉》。这部小说告诉人们吸血鬼可以“让低级动物听命于它，比如老鼠、猫头鹰、蝙蝠、夜蛾、狐狸以及狼”。在吸血鬼的故事中，狼经常被提及，因为吸血鬼和狼人很相似，而那时狼人显然名气更大。但是，斯托克认为，不管怎样，蝙蝠应该是最厉害的：“上帝，主人！您想让我明白露西其实是被蝙蝠害死的？这样的事竟然发生在这里，发生在 19 世纪的伦敦？”

然而，如果稍稍再往前回溯一下，

与动物世界的情形一样，在胚胎时期，吸血鬼的某些遗传性特征最明显。

这种关联根本就站不住脚。1872 年，谢里丹·勒·法努在其作品《卡密拉》中写到的，是一种犹如蝶蛹破茧般的蜕变。女主人公卡密拉是一个年轻貌美的“女吸血鬼”，她将自己

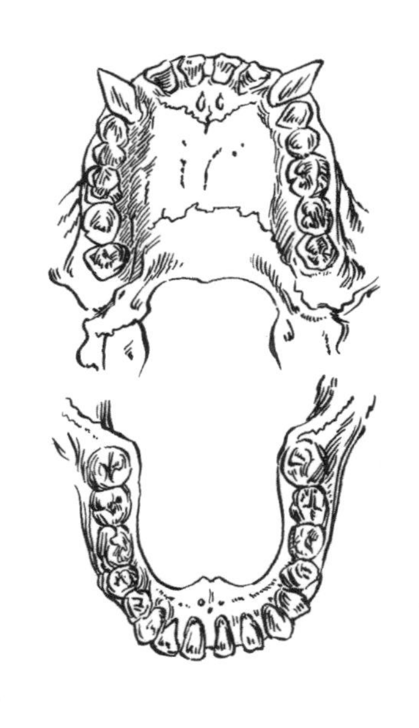
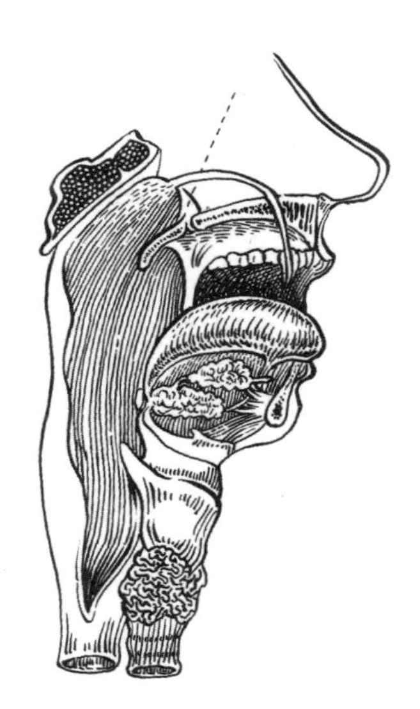

要确认吸血鬼是否成年，必须检查其牙齿。通过对牙齿 - 口腔器官的检查，可以看到连接中空犬牙与食道的血管。

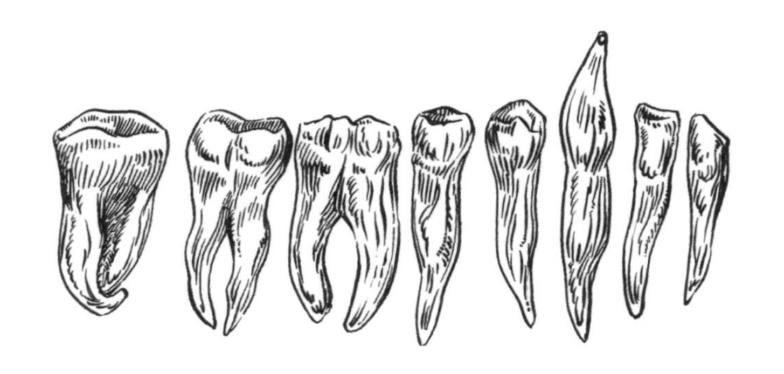

比喻为介于毛毛虫和蝴蝶之间过渡态的蝶蛹。她变身时会选择变成黑猫，所以她更接近于传统意义上的女巫，变成猫以后，她咬伤了讲故事的女作者。根本就没有什么蝙蝠！

直到 18 世纪末，吸血鬼才在西欧出现，但是当时它们被比作蚂蟥。因此，1693 年 5 月的《文雅信使》报道了这样一桩事，“波兰，准确说应该是在俄国，出现了一种极其特别的生物。其实是一些尸体，拉丁语称之为 *striges*，当地人称之为 *upierz*”。在不同的故事中，所谓的 *upierz* 有不同的称呼，如 *oupires*、*wapierz* 或者 vampires。莫雷里编写的《历史大辞典》（1759 年）中有一个非常明确的定义：“VAMPYR。这个词在斯拉夫语中的意思为蚂蟥，因此，在斯拉沃尼亚，也会用这个词指称那些疑似吸活人血的死人。”

这些活死人在中欧地区也一模一样。如果他们又回到人间作祟，人们就会刨出他们的尸体，挖出心脏，或者用火烧他们。本笃会教士奥古斯丁·卡尔梅曾在 1746 年出版的《匈牙利、摩拉维亚等地区幽灵、吸血鬼以及鬼魂等现象概论》一书中详细描写过这些不吉祥的怪物。作家的本意是区分迷信臆造的鬼魂与教廷官方认定的死而复生。之所以这么重要，是因为当时涌现了许许多多奇幻的怪诞故事，它们威胁到宗教故事的可信性（这些故事当然是真实的）。

卡尔梅教士认为，吸血鬼与蝙蝠没有任何相似处。只有一点，他认为两者源于同一个生物，即半女人半鸟的杂交怪物，在古代，这种动物以吸小孩的血臭名远扬。但是那时候，吸血这一行为似乎很流行，因为龙也被认为会吸血，虽然它们吸的是大象的血，这些牺牲品与龙更相称。罗马的龙嗜血，

翅膀如蝙蝠，自然让人联想到德古拉以及蝙蝠，但是它们之间的关联完全不符合时间顺序。

1764 年，伏尔泰在其著作《哲学辞典》中专门用一个词条解释了卡尔梅教士笔下的吸血鬼，他对此嗤之以鼻："投机者、生意人、商人曾在光天化日之下吸百姓的血，但是他们可不是什么死人，虽然他们的内在的确早已腐烂。这些真正的吸血鬼并不住在墓地里，而是住在极其舒适的宫殿里……真正的吸血鬼是侵吞国家和人民财产的僧人。"

蝙蝠被拿来与古时的鸟进行比较并不是偶然的。蝙蝠的属性使其看上去像是杂交动物，这让一些博物学家十分迷惑。贝尔纳丹·德·圣皮埃尔在其著作《自然之和谐》中，时而把蝙蝠归为鸟类，时而又归为四足哺乳动物，它的种属关系一直都不确定。会给幼崽喂奶的鸟、会飞的树鼩或者狐狸、夜行动物，这些模棱两可的属性导致它被人厌弃，也大致解释了为何大家都喜欢把蝙蝠钉在谷仓的门上。

博物学家布封非常完整地总结了蝙蝠在他生活的时代具有的坏名声。虽然，他一开始还委婉地说"万物本来生而完美，因为它们都出自上帝之手"，之后他还是细数蝙蝠的种种恶处，"这是一种怪物，它具有两种动物的不同特征，它与大自然原本各个种属中的动物都不同，它只是一个不完美的四足哺乳动物，以及一只更不完美的鸟"。

在此之前不久，布封刚刚读过博物学家撰写的南美洲动物简介，其中有一种蝙蝠比欧洲的蝙蝠还要可怕，"我们应该会称它为吸血鬼，因为它会吸正在睡觉的人与动物的血，但是又不会造成特别大的疼痛，是为了防止惊醒它们"。因此，布封把特兰西瓦尼亚的活死人同南美洲的翼手目动物联系在一起，并不是文学从动物学中获得了灵感，而是动物学记录下了一种几百年来一直为大家所信服的"真实"的神秘动物。

被布封称作吸血鬼的吸血蝙蝠。

变形时，鼻子和耳朵的软骨变得特别大。

ANATOMIE DE LA FEMME-ARAIGNÉE N° 93

变形为蝙蝠

吸血鬼可以随心所欲变成蝙蝠。他们的手指慢慢变长，指间慢慢长出膜，然后沿着双臂慢慢舒展开。耳朵和鼻子都变大，而脸和胸部则长出细细的毛。

人耳　诺斯费拉图式耳朵　微缩版德古拉式耳朵　基度山吸血鬼式耳朵

吸血鬼不同样子的耳朵

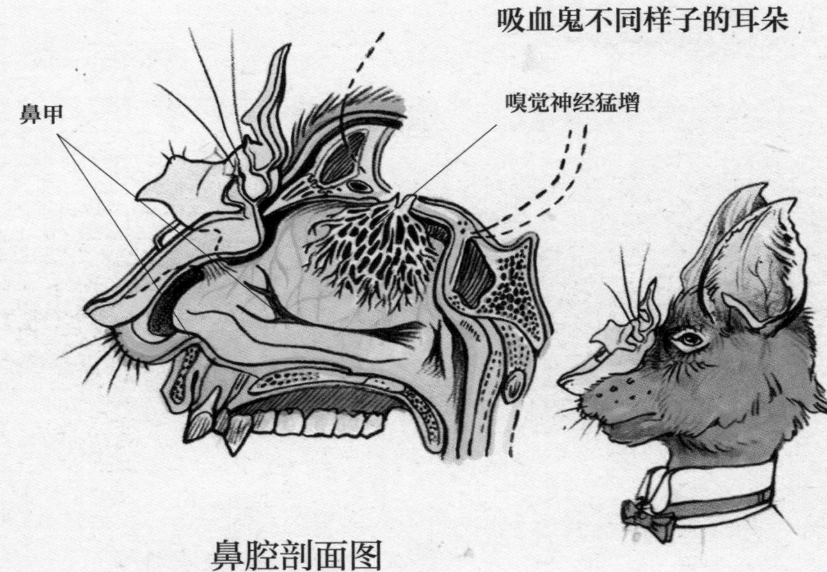

鼻腔剖面图

变形时伴随嗅觉神经的急剧增长，吸血鬼可以区分不同血型的人。

A. 变形结束

一旦变形结束，人的每个地方看起来都像一只蝙蝠。

B. 恢复人形

逆向变形需要十几分钟，最后吸血鬼会恢复人形。

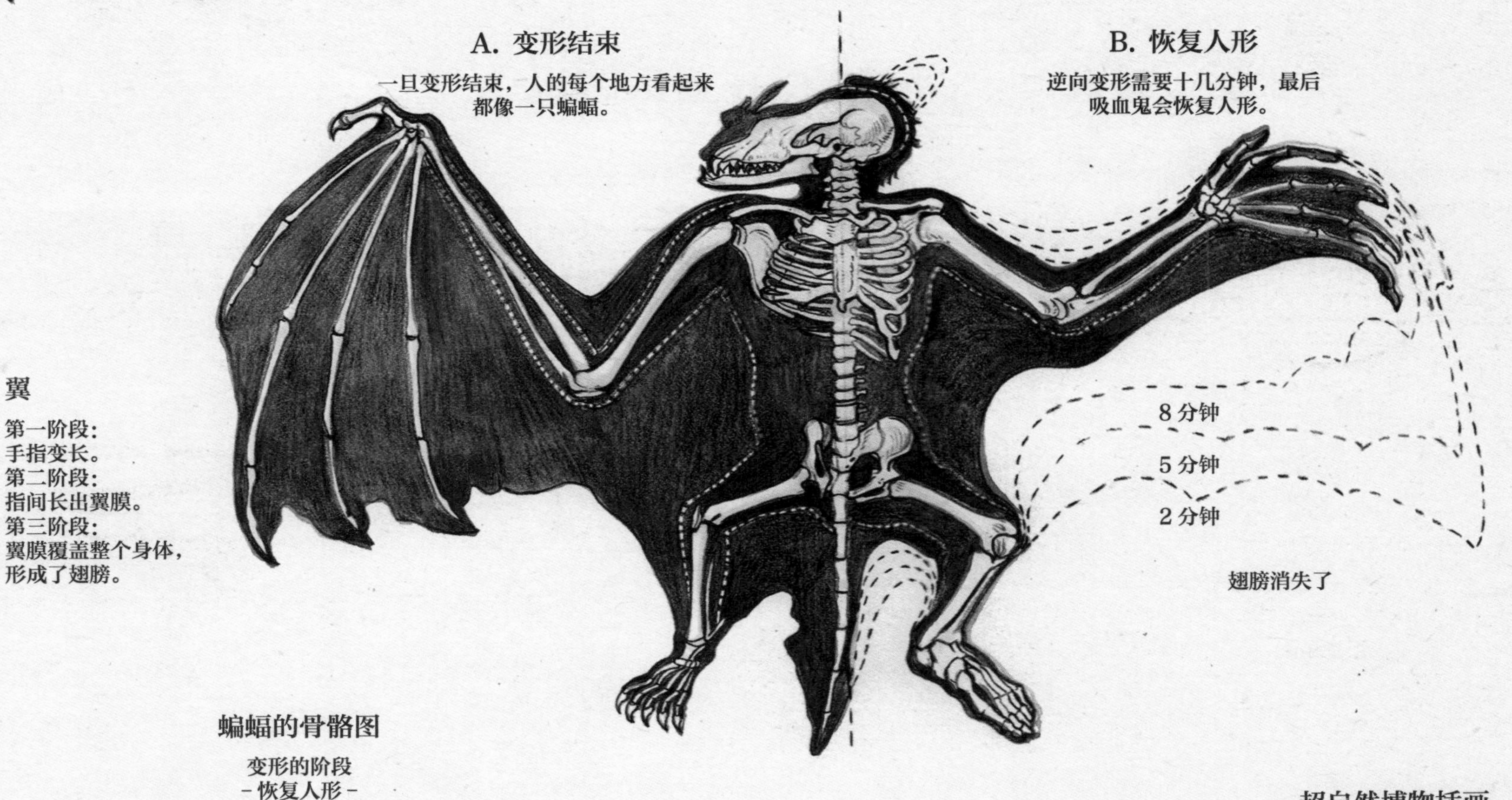

蝙蝠的骨骼图

变形的阶段
－恢复人形－

超自然博物插画
卡米耶·让维萨德 绘
奇幻学家

蛇女美瑠姬奴是一个让人害怕的人物，尤其让男人害怕。但是她也是一个悲剧故事的女主角——一个关于背叛的故事，当然是被男人背叛。

蛇

半人，半蛇

中世纪时期，所有人都熟知蛇女美瑠姬奴的故事。法国作家让·达拉斯讲述的版本如下：大约在1393年，弗雷子爵的儿子雷蒙丹领主在半路上遇见了一位容貌倾城、衣着华丽的女士，领主随即爱上了她。而她答应嫁给他，只要他能保证每个礼拜六都不见她。他们的婚姻看起来似乎很美满，因为他们生了许多漂亮的孩子，而且荣华富贵用之不尽。美瑠姬奴在城市与城堡建设方面发挥了重要的作用，她的好几个孩子都成了国王。

但是有一天，雷蒙丹因为嫉妒，在礼拜六的时候偷偷窥视她，那时她正在洗澡：“她的上半身，直到腰部，是女人的样子，她正在梳理头发；但是从腰部往下，是蛇尾的样子，很粗，像装鲱鱼的木桶；很长，她用尾巴用力拍打水，以至于房间的天花板都被弄湿了。”因为秘密被泄露了，美瑠姬奴不得不永远变成了“一条五米长的大蛇”，并且逃离了城堡。这个故事广为流传，最后还被印刻成更加具有文学性的书，传播到欧洲各地。之所以如此流行，大概是因为这个故事本身有一些引人入胜之处：因为前世的诅咒而降临于世的蛇女，禁令被打破可以看作一种背叛的象征，失去的财富与幸福。这个故事有许多不同的解释，历史、宗教、文学以及后来精

蛇女别名“蛇缇娜”[1]，她的大部分身体都没有骨头。20世纪初她在美国被展出。

[1] Serpentina，也是一种植物名，即“蛇根木”，这个词的前半部分serpent就是法语中的“蛇”。

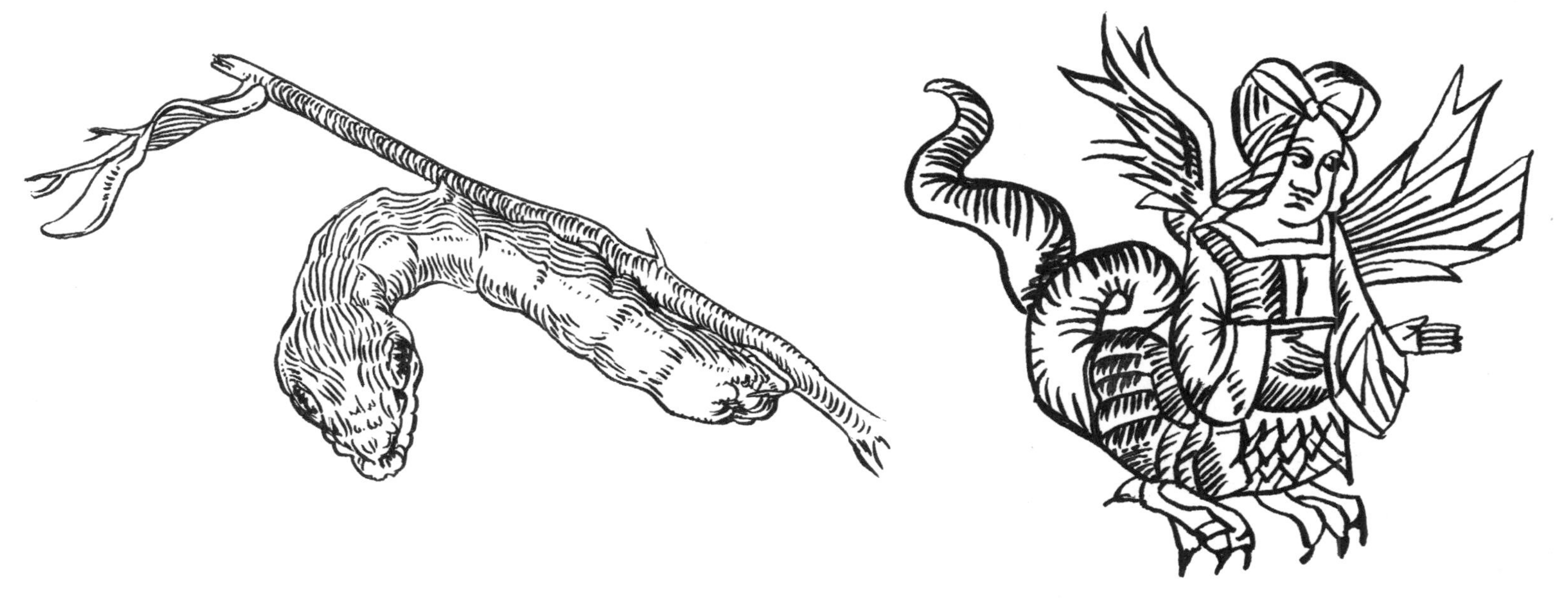

蛇虫的“眼睛”其实是眼状斑，即普通的斑点，暴露出来时可以惊吓好奇的鸟类。

美瑠姬奴经常以龙女的样子呈现于世人面前，而龙其实是进化完毕的大蛇。

神分析学都对其进行过解释。

那时，美瑠姬奴被比作一个女神。大家都十分相信，这些非同寻常的女性是因为遭受了某种法术的控制，不得不间歇性地变形。但是很快，大家越来越相信蛇女的魔鬼本性。在好几个版本中，蛇女都被描述成一个魔鬼，她化作女人的样子来引诱男人。在中世纪时期的西方世界，蛇被看作魔鬼的工具，美瑠姬奴是一条“假冒的蛇”，不过是魔鬼的化身。

这种憎恶感源于一种普遍的情感：大部分人以及很多动物都害怕、讨厌蛇，因为它们来无影去无踪、敏捷灵活又十分危险，这也是为什么伪装成蛇总能非常有效地抵御天

蛇，哺乳动物的天敌。

敌！1862 年，一位英国博物学家亨利·华特描写过一种他在亚马孙森林里见到的虫子。这种虫子身子的前半部分鼓鼓的，两个眼状斑（环绕着白色带状花纹的黑色圆点）异常明显，和眼睛很像，整体看起来非常像蛇的脑袋，让人吃惊，尤其是这种虫子会像蛇那样扭动。这种相似性对鸟类有一种切实的威慑力，它们不敢去吃它。

听故事的人总觉得蛇女很可怕，但她其实也很惹人怜爱，因为她每天晚上都会回来看她的孩子和孙儿。而且，故事里的美瑠姬奴与其说是一个妖女，不如说是一个受害者。原来，她的生父在森林里遇见她的生母时，也是向生母承诺，永远不会在她分娩时偷看，这才得以与她结婚。但正是因为父亲违背了诺言，孩子才受到了“变蛇”的惩罚。19 世纪时，美瑠姬奴的浪漫色彩又重新显现出来。1882 年，诗人让·洛兰这样吟唱美瑠姬奴最后的变身：

> “悲伤而疲惫，沉浸在白日最后的光里，
> 她感到安宁的时刻终于到来，要变身了，
> 她模糊的双眼渴望再看一眼落日的余晖，
> 这是世界在向它的爱人道别。
> 站在塔楼上，她的身体已经变得细长而黏滑，
> 眼见着，自己赤裸的双臂变成绿色，长出鳞片，
> 蛇的冰冷钻入了她的五脏六腑。”

ANATOMIE DE MÉLUSINE (MA

美瑠姬奴解剖图（哺乳类爬行动物）

美瑠姬奴变身为蛇时，首先从身体的上半部分开始变形，她的脊椎骨慢慢拉伸、变长，双脚慢慢消失，其他的变化并不是那么明显：她的舌头出现分叉，她的犬牙变成毒牙，下颌骨一分为二，可以伸缩。

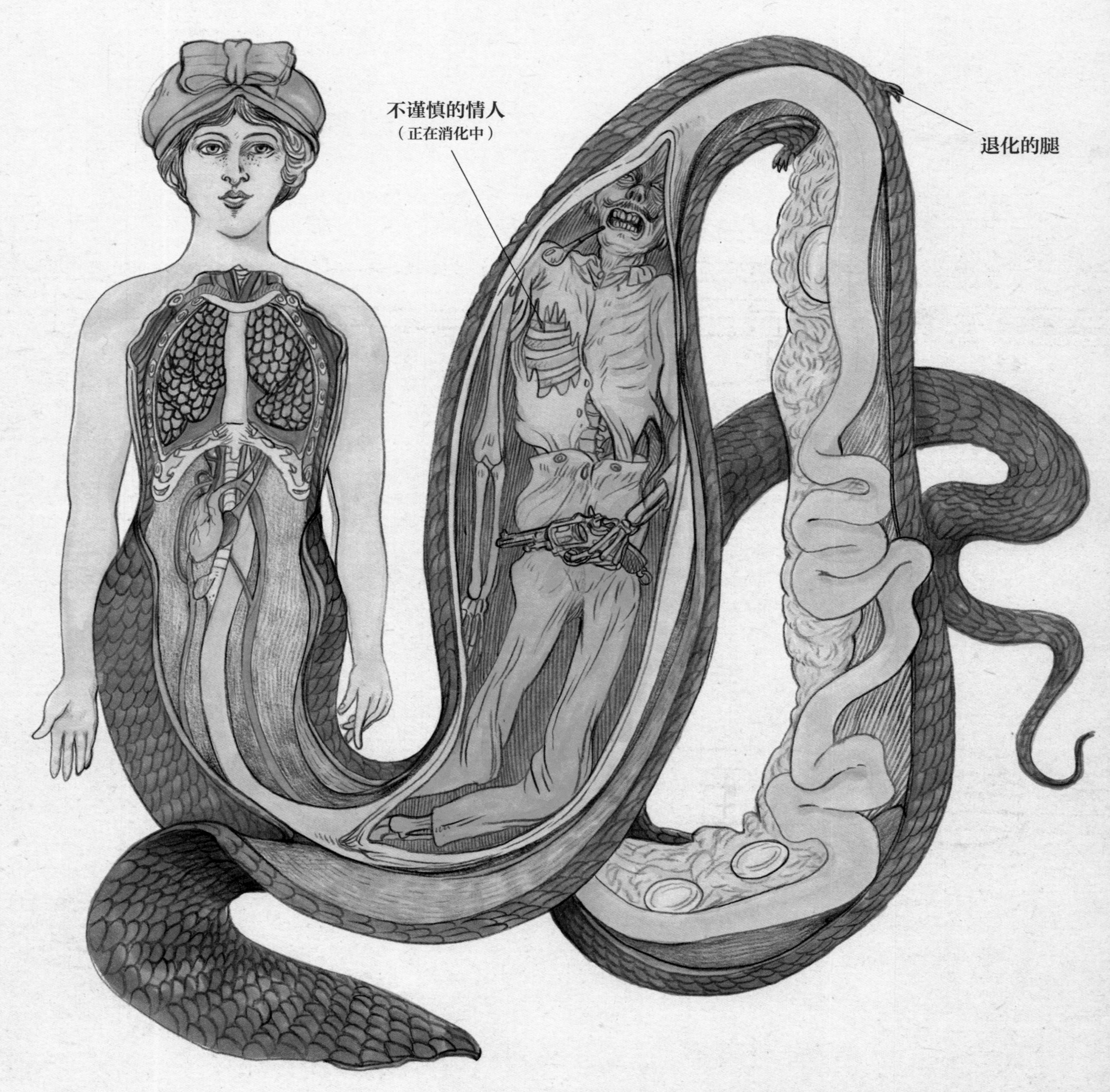

蛇女的消化器官

（*Ophiaphrodite castelli*）

欧洲

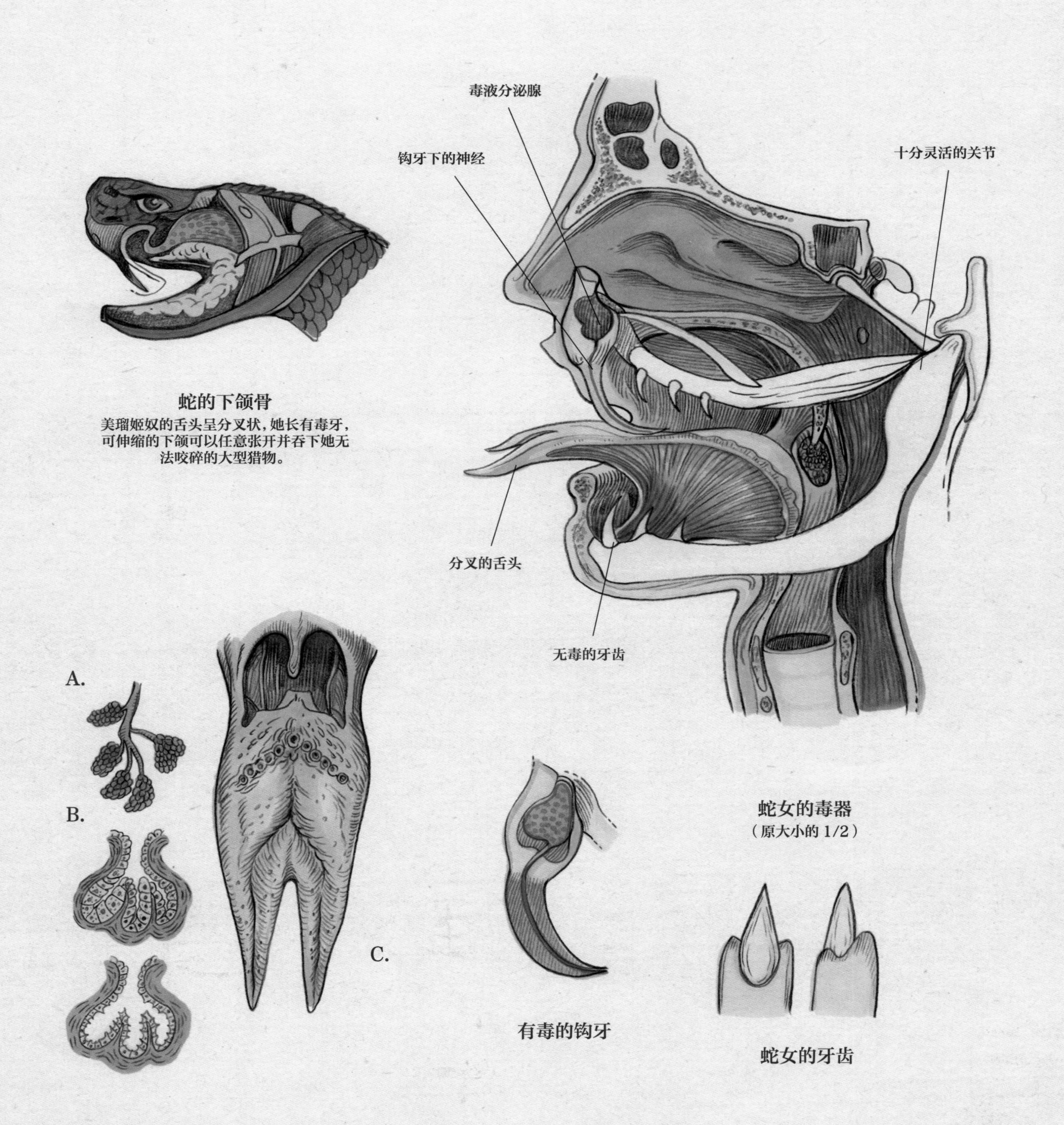

蛇的下颌骨

美瑠姬奴的舌头呈分叉状，她长有毒牙，可伸缩的下颌可以任意张开并吞下她无法咬碎的大型猎物。

蛇女的毒器

（原大小的 1/2）

有毒的钩牙

蛇女的牙齿

蛇的舌头

A 与 B：毒液分泌腺
C：分叉的舌头，正面图

超自然博物插画
卡米耶·让维萨德 绘
奇幻学家

它长着“蛇的脑袋、天使的尾巴，拥有一副恶魔的嗓子”，但它也是灵魂不死的象征。它总是让人联想到俊美的人。

孔雀

不死鸟

公元前4世纪，哲学家柏拉图认为，一切生命的灵魂都是永生的，每一次轮回只是灵魂从一个身体到另一个身体的转换。在他看来，轮回的身体取决于每一个生命本身的行为：“就鸟类而言，它们没有头发只有羽毛，它们是由天真而轻浮的人转世而来，他们喜欢说一些浮夸、轻薄的话语，天真地认为万事万物的价值取决于它们的外表。直立行走的动物以及野兽的前世是那些完全不关心哲学与天象的人。然后是最不聪明的动物，成天只知道趴在地上，完全不需要脚，所以它们自然不用长脚，只要在地上爬就可以了。最后，第四类动物就是水里的动物，它们由最愚笨的人、最不懂科学的人转世而来：为之进行转化的人认为他们根本不配呼吸纯净

布封认为，“让孔雀开屏的正确方法是，向它投去专注而赞美的目光”。

只有雄孔雀才拥有这样壮观的布满圆点的大尾巴。

18世纪时，“孔雀尾巴的眼状斑”经常被绣在衬衣前胸，受到欧洲各地沙龙年轻人的追捧。

的空气，因为他们的灵魂充满了污浊。”甚至有些厌恶女性的人说：“软弱的男人存在于现实中是不合理的，他们在下次投胎时很可能会变成女人。”

灵魂转世并不是一种“简单的”复活，灵魂因此得以从人的身体进入另一个生物的身体，因为动物本身在迁徙的过程中也可能改变灵魂。所以确切来说，“灵魂转世”应该是持续好几代生命的一种变形，虽然生命交替，但是灵魂始终保持同一个样子。

这种信仰非常普遍，因此在公元2世纪，拉丁语诗人恩纽斯描写了他所做的一个梦。在梦里，他见到荷马的灵魂进入了自己的身体，并且向他允诺：他会变成与荷马一样伟大的诗人。伟大的希腊诗人本应该再补上几句：在此之前，他曾是一只孔雀，也曾进入过毕达哥拉斯的身体，毕达哥拉斯还向他强调了灵魂转世说。

之所以选择孔雀并不是没有原因的。当时，孔雀不仅是虚荣的象征——人们认为这种鸟只在感受到别人喜欢它时才会开屏；它还是与赫拉关系密切的神鸟，毕达哥拉斯派认为它象征了灵魂的永生。最早的基督教徒把它看作永生与死而复生的象征，也许是因为每年冬天来临时它美丽的羽毛会一一掉落，来年春天又会再次长出来；也许是因为，据说它的身体好几年内都会保持贞洁的状态。

诗人卢克莱修完全不赞同灵魂转世说，几百年后，他是这么讽刺恩纽斯的：“鸟类只会生蛋，它们可没有什么灵魂。”卢克莱修不明白为什么灵魂在投胎转世中要改变身体的形状：“为什么灵魂会由聪明变傻？为什么任何一个孩子都没有成人的判断力？”他很吃惊，没有人会记得前世的生命，如果的确有前世的话。也许这就是为什么如今催眠师、“超度师”以及其他种种现代版的巫师都会建议天真的人再去回忆“前世的生活”，这是一种迅速变形的有效方式，不仅可逆，且没有任何风险。

至于孔雀，它自己本来就可以发生某种程度的变形，至少在短时间内，即开屏时。如果本来就不认识这种鸟，那么也不太可能去想象它的模样。但是至少可以这么想，展开尾巴上的羽毛时，它依然记得自己是谁。

《孔雀向神后朱诺抱怨》，拉封丹寓言，古斯塔夫·多雷绘，1868年。

世俗总是对驴子充满了偏见，但是与之相反，有些作家曾经把自己的主人公变成哲人般的驴子，人类社会最具优势的观察家。

驴子

灵魂与耳朵

为了惩罚而施展变形，神可以在许许多多动物中进行选择，它们一个比一个令人厌恶，比如蜘蛛或者蛇，但是如果变形只是为了警告某种错误，那么他就会选择一种最具有象征意义的动物。在一场音乐比赛中，国王米达斯做了一件极蠢的事，他觉得潘神比阿波罗唱得更好。于是，阿波罗便决意惩罚他，奥维德是这么写的：“提洛岛的神再也不能容忍那对肥大的耳朵还保持着人的样子。他使它们慢慢变长，并

有时，一头母驴会变成一个漂亮的年轻姑娘，但是反向的变化极其少见。

且长出白色的绒毛。这对耳朵开始不停地动，而不像先前那样保持静止。他的身体依然是人的身体，除了耳朵，它们就像是行动迟缓的驴子的耳朵。”一直以来，驴子都代表了愚蠢与固执。曾经，学校的老师会以“戴驴帽”的方式来责罚笨学生，好像学生变成了蠢驴一样。

但是驴子还有其他的模样，它是卑微、顺从的仆人，在劳作中陪伴自己的主人，知晓主人的一切。阿普列乌斯在《金驴记》中就选择刻画这样一个充满讽刺意味的观察者形象。这位公元 2 世纪时期的罗马作家当时刚刚被控诉施展法术引诱普登提娅，她比他稍微年长，是个富有的寡妇。他的辩词对控告人极具嘲讽：“如果说，他们认为‘魔法师’是指与永生的神做交易的人，他通过不可思议的魔法可以实现任何他想做的事，那么，我倒觉得很吃惊，他们竟敢控诉这样一个会魔法的人，他们不害怕吗？”

虽然阿普列乌斯并不相信巫师的法力，但在整篇小说中，他一直都在表现这些法力。年轻的主人公卢修斯发现年迈的潘菲涂上神奇的软膏就能变成乌鸦：“她发出一声幽怨的叫声，沿着地面试飞了几次，最后终于展开翅膀，飞走了。”卢修斯想尽办法获得同样的法力。他乞求他的情人，美丽的弗缇斯——她也是潘菲的仆人——把软膏给他。但是弗缇斯拿错了瓶子，卢修斯讲述了后来发生的事：“我把软膏从头

到脚涂了一遍，然后我模仿鸟的样子，用手臂拍打空气，但是一根绒羽都没有长出来，更别说羽毛了。反而是绒毛越来越浓密，覆盖了我的整个身体。软软的皮肤变成了坚硬的皮；双手、双脚也发生了变化，手指、脚趾粘连在一起，变成了蹄子；脊椎骨末端长出一根长长的尾巴；我的脸慢慢拉长，嘴巴咧开，鼻孔也变大了；嘴唇垂落下来；两只耳朵变得奇大无比，竖立着。我再也没办法拥抱我的弗缇斯了，但是幸好某些部分（真是太庆幸了）并没有发生变化。”弗缇斯告诉卢修斯，只要他吃下玫瑰花，他就能恢复人的模样。当然，为了找到玫瑰花，他历经了重重艰难。在历险途中，他见到了许许多多的罪行，有时，他自己也不得不参与其中。这个故事时而诙谐，时而情色，时而神秘。主人公变成了驴子，却因此了解了人类社会的方方面面。

卢修斯的变形显然是虚构的，但其他作家却依然主张变形的真实性。法学家兼魔鬼学家让·博丹确信巫师会和魔鬼签订协议，所以一定要对其进行严刑拷打，将其一网打尽。在他的作品《巫师的魔法狂热》中，他讲述了塞浦路斯岛上的一个女巫把一个参加十字军东征的年轻英国士兵变成了驴子，然后让它为她工作。一天，它在教堂里跪了下来，大家迫使女巫还它人形，最后女巫被判以死刑。在控诉者看来，总的说来，女巫经常会把人变成驴子，她们把有用之物变成了讨厌之物。

为了让读者相信女巫真的能施展变形术，博丹用尽了各种办法，他提到了瑟西的猪以及阿普列乌斯的金驴。这一幕讽刺女巫与魔法师的闹剧在十五个世纪以后反而意义大变，它证明了他们的确拥有可怕的魔力。

织工博特姆变成了驴子，精灵女王泰妲妮亚被引诱（版画，约瑟夫·诺尔·帕通绘，1850年，莎士比亚《仲夏夜之梦》）。

耳朵是变成驴子最基本的象征元素，但是不要忘记还有凸起的脸部以及富有情感的眼睛。

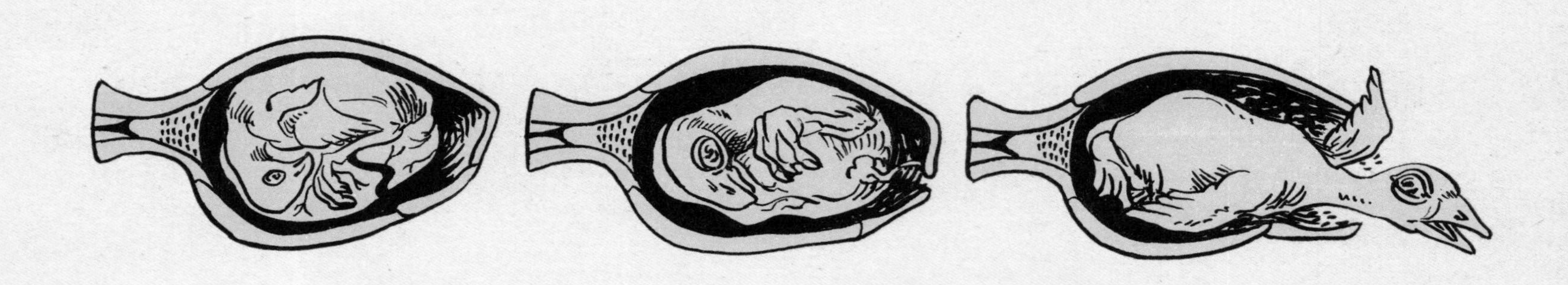

第4章

MÉTAMORPHOSES COMPLÈTES

—

彻底的变形

下文中提到的变形是彻彻底底的变形。

它们通常会经历一个过渡阶段，从而隐藏变化的过程。这些变化结束后，最终的生命形态与最开始的形态截然不同。我们永远不能确定茧里会出来什么东西！

赭带鬼脸天蛾 86
蜻蜓 88
蜂与蚜虫 90
精子 92
茗荷儿 94
青蟹 96
天使 98

动物学的专业词汇远不是我们认为的那么中性，它有时会左右我们观看生命世界的视角。幼虫在等待变形时，为了能变成最终的样子，它必须具备一种能力。

赭带鬼脸天蛾

蝴蝶的幽灵

以前，赭带鬼脸天蛾因为其胸前奇怪的图案被大家视为不祥的动物。法国科学家路易·费吉埃认为，19世纪时期，“这种天蛾在某些地区出现时往往伴随着某种传染病的肆虐，所以大家都认定，这种可怕的天蛾携带着死亡的信息，因为它长着死神的面容”。但是这位科学普及者又很高兴大家认识的变化：“有那么多偏见、那么多迷信，毫无意义但是不无危险，它们迷惑了无知的人，如果能驱散、消灭其中的一个，对于科学而言是多么快乐的任务，对于博物学家而言是多么宁静的喜悦！”如今赭带鬼脸天蛾只是欧洲众多大型天蛾中的一员，它赭金相间的外貌使之成为最漂亮的天蛾之一。

一个世纪之前，雷奥米尔认为，这种天蛾是一种很平常的品种，但是这位博物学家非常喜欢它还是毛毛虫时的样子：“如果它们知道自己有多漂亮，它们一定会为此而骄傲。”

在朗格多克，赭带鬼脸天蛾身上的花纹使它获得了一个绰号：“马斯卡”，即“女巫”。

赭带鬼脸天蛾唯一可以被指责的一件事是，它喜欢钻进蜂箱里偷食蜂蜜。

赭带鬼脸天蛾的名字源于它的幼虫可以在很长时间内一动不动，一直保持狮身人面像*1 的姿态。

毛毛虫呈黄绿色，有时甚至是绿松石色，其间有黑色的条纹，有一条小小的弯曲的尾巴，长 10 厘米。然而，大部分关于飞蛾生命周期的描写都强调其成虫阶段，这一阶段被大家视作它们“最完美的样子”，幼虫只不过是一个过渡阶段，即不完美的阶段。

从动物学角度而言，毛毛虫属于幼虫。幼虫这个词来自古代的戏剧，意指某种恶灵丑陋的面容，所以这是一个相对贬义的词，幼虫的变化也就只能被视作一种进化！动物学家称成虫为“以玛戈”（imago），意思是“画像”，因此从本质上说比幼虫要更加完整、完美。但是，如果动物的成长不会经历变形，那么幼年时期虽然没有成年时期那么“完整”，也并不意味着前者没有后者“完美”。

难道我们不是受双重情绪影响的吗？一方面是对蝴蝶的喜欢，另一方面是对毛毛虫的厌恶。在科普文章中，我们不是经常会把“蝴蝶缤纷的色彩、优雅的姿态……轻盈、活泼、四处飞舞”与毛毛虫的“轻率、无耻、卑贱、下流”对立起来吗？或者，说到蜻蜓，就会把“丑陋、沾满污泥”的幼虫与“长着亮闪闪的、彩虹色的、薄纱一般的翅膀”的成虫对立起来。然而，如果大家都能认同应当纠正这种人类中心主义的陈词滥调，就必须承认，虽然只有成虫才能繁殖，但是幼虫的存在并不是毫无意义，有时幼虫阶段甚至持续时间更长。有些知了会以幼虫的形态生活十七年之久，最后变成成虫后生活的时间只有几个星期！难道我们就不能改变一下观点吗？或许，蝴蝶只是幼虫为了更便捷地寻找配偶，进行繁殖而创造的一种手段。

毛毛虫生活在地底，白色、柔软，至少在我们的想象中它总是黏糊糊的，让人觉得恶心，甚至觉得可怕。

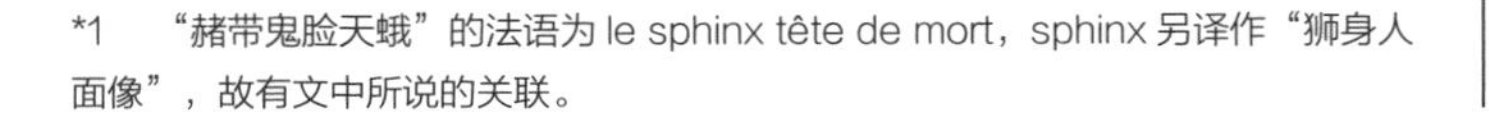

*1 “赭带鬼脸天蛾”的法语为 le sphinx tête de mort，sphinx 另译作“狮身人面像”，故有文中所说的关联。

蜻蜓

生命原体的结合

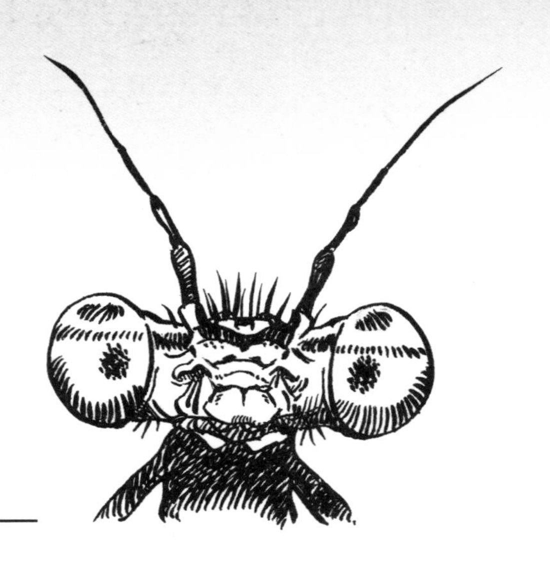

鳞翅目昆虫的毛毛虫在生长的最后阶段变成了茧，一段时间后，成年蝴蝶破茧而出。很长一段时间内，大家都认为这一变形是一种死而复生。毛毛虫、茧、蝴蝶被视作三个截然不同的生命体，它们的交替意味着死而复生的可能性。但是在另一个不同的范畴里，昆虫又表现出另一种形式的变形，即身体属性的变化。

17世纪荷兰博物学家让·斯瓦姆默丹完成了许多完美的昆虫解剖，技术甚为精湛，为昆虫学的发展做出了巨大贡献。他尤其细致地描写了华丽的色螅，这是一种极其优雅的蜻蜓，其水生的幼虫仿佛戴着“面具”。与成年后不同，幼虫长着巨大的口器。斯瓦姆默丹不仅仅是一个科学观察者，他的宗教观也深深影响了他对自然的看法。他不赞同生命的自发性，因为他认为，偶然性与上帝所创造的和谐世界不相容。

破壳第3阶段

破壳第2阶段

成虫破壳开始

蜻蜓的幼虫飞出水面，停留在一株植物上，变成蛹。几天后，成年蜻蜓从曾经的外壳中飞出来。

因此他便致力于证明昆虫的变形只不过是一种简单的生长现象、一种缓慢的变化，没有任何神奇之处。他认为，在雄性介入之前，幼虫已经在雌性的卵子中“成形”。雄性精液唯一的作用只是激发已经存在的胚胎开始生长发育。毛毛虫的变化是虚幻的，因为实际上它在卵子中就已经发生了。他把这一“先在性”观点推向了极致，认为每一个胚胎自身携带了所有后代的原生生命体。因此，回溯到过去，从世界诞生之初起，一切生命体都是可预见的存在。创世纪时，上帝只是把每一代动物的生命原体彼此组合，从而使世间出现了各种各样的动物，直到时间终结。

这一“生命原体相结合”的论点又引出了新的问题。实际上，要预测遥远的未来极其微小的动物生命原体是很难的事！物质是可以无限分解的吗？生命体的嵌合难道没有物质上的极限吗？从神学角度看，上帝难道认为一代代生命交替的最后是世界的终结吗？博物学实际上深受宗教思想的浸淫，正因为如此，斯瓦姆默丹才会改变自己的志向。因为他爱上了女传教士安托奈特·布里依，后来他甚至觉得自己的科学工作完全不是为荣耀的上帝服务，而只是为了满足自己的好奇，最终他放弃了自然研究。

生命原体相结合的观点也导致了一系列政治后果，正如一个世纪后，贝尔纳丹·德·圣皮埃尔所言：“我们的学校曾助长了专制的肆虐，它推崇一些微妙的理论。大家都认为，所有的人，从祖辈到后辈，其实早已包含在第一个人体内，就像一个个杯子，一个套一个。”这位博物学家在其所有的作品中都歌颂自然神学，有时甚至到了荒唐的程度，但是他不能接受这样一种生命组合的观点，与其说是由于科学原因不如说是道德原因：“这样就会把人类的大部分恶都归因于出生。因为这种理论，一方面，引发了折磨众人甚至全人类的憎恨、蔑视，对黑人的奴役，对犹太人的迫害，对农民的封建压迫；另一方面，导致土耳其拜火教教徒遭受打压，印度‘贱民’饿死，等等。这种观点铸就了人类无法弥补的不幸，尤其当它同宗教结合在一起时；因为它促使一些人妄自尊大，让他们自以为生而高贵、拥有权力；他们把其他人赶入绝望的深渊，禁止那些人望向至高无上的神，那些人世世代代都觉得自己是牺牲品。”

MÉTAMORPHOSE DU HAI RYU

N° 49

爬龙的变形

日本京都地区住着爬龙，一种长翅膀的龙。它长着典型的龙脑袋，但是身体更接近鸟的样子，或者说蝴蝶的样子。爬龙在茧内发生彻底的变化，茧的样子像日本灯笼，这种拟态极其少见。

爬龙的幼虫

体长大约 42 ~ 56 厘米（日语中，这些数字读作 Shini、Goro，意思是“将死”，这大概解释了这种动物为何有不祥之意）。

大自然中的戏剧比起可怕的奇幻电影有过之而无不及！

蜂与蚜虫

可怕的茧

昆虫的变形意味着一段停滞的时间，动物在此期间发生蜕变。这一行为发生在茧中，即蝴蝶以及其他昆虫的蛹。在这一壳子里，幼虫的身体组织发生了变化，最后完全变成了另一种样子，但永远是其基因预先决定的样子。然而，有些茧神秘得多，最后从里面出来的生物并不是人们原先以为的样子。

姬蜂把自己的卵植入毛毛虫的体内。

姬蜂会把自己一颗颗的卵产在蚜虫体内。每颗卵内都会孵化出一条幼虫，在寄主蚜虫慢慢变得半死不活时，幼虫从内部吞食蚜虫。在姬蜂把卵注入蚜虫体内时，它同时还将一种病毒植入其中，这种病毒会破坏蚜虫的免疫系统，防止它伤害侵入的幼虫。最后寄主蚜虫会变成球形，颜色呈褐色。当姬蜂的幼虫吃饱喝足、彻底长大后，它们就会发生变形，变成成虫，从蚜虫的遗骸中出来，就像从一个茧里出来一样。这样的蜂被称为拟寄生动物，因为它既不是纯粹的寄生动物，又不是真正的捕食动物。这种昆虫会寄生在蜘蛛、蚜虫、毛毛虫以及其他昆虫身上。姬蜂对于昆虫数量的调节具有重要的作用，它们被广泛用于保护庄稼作物的生态除虫中。

一点点被活生生吃干净的虫子让达尔文十分震惊：“我承认自己不如别人那么透彻，因为本来我希望自己能明白这一切，找到证据表明我们周遭一切事物中存在一种计划与善意。我觉得这个世界有太多的痛苦。我无法说服自己相信仁慈而全能的上帝会故意按照某种原形创造出姬蜂，它们从里面吞食毛毛虫活着的身体，就像猫总是以捕食老鼠为乐。”19世纪时期的昆虫学家让－亨利・法布尔似乎没有达尔文那么多愁善感，或者说他从另一个角度来看待这一现象。姬蜂麻痹毛毛虫好让自己的幼虫能饱餐一顿，面对这一幕，法布尔看到的是“统治这一世界不可言语的法则”，甚至无法忍住一滴“百感交集的眼泪”从眼角滑落。

茧的主题经常在奇幻作品或者科幻作品中出现，比如

在具有保护作用，甚至可以说具有母性的茧内，蜕变躲避了一切视线在慢慢进行。最后究竟会出来什么生物呢？

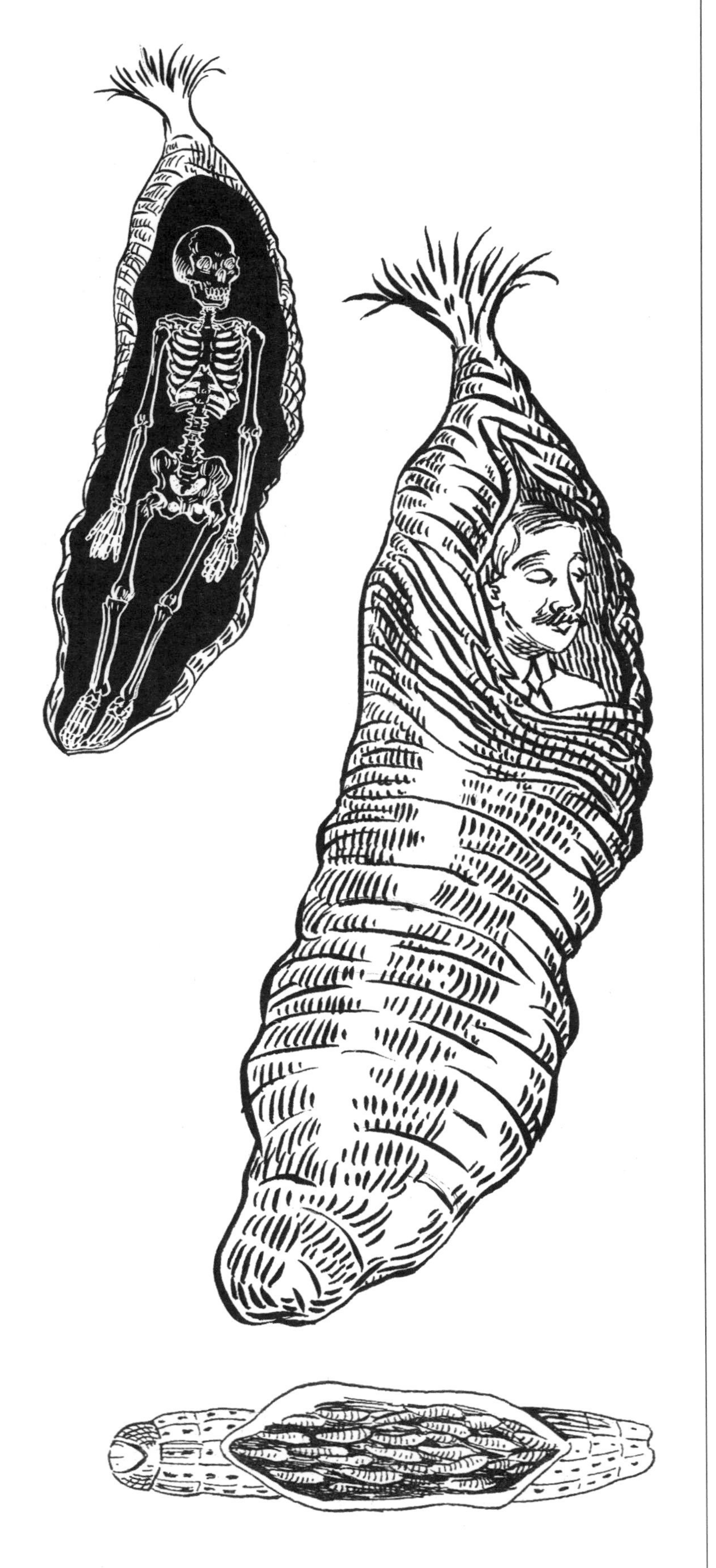

被姬蜂幼虫活活吃干净的毛毛虫。

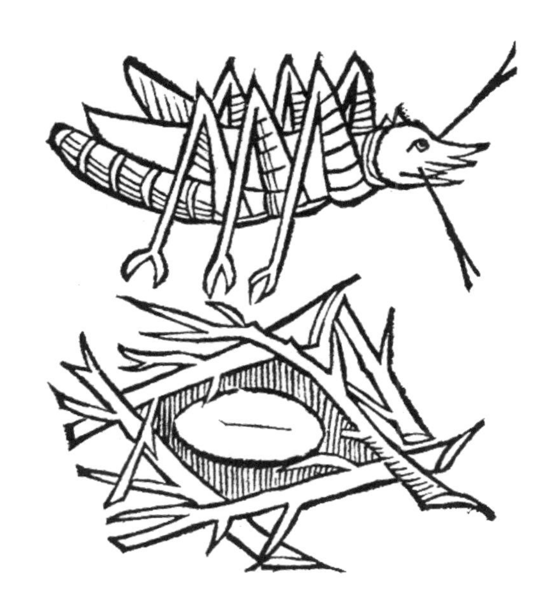

卵是茧的一种特殊状态，谁也不知道里面会出来什么东西，比如图中的虫子和它的卵，绘于 1491 年（霍图斯·萨尼塔蒂斯，《健康花园》）。

Body Snatchers[1] 系列故事（奇怪的是法语中题目被翻译成“墓地里的渎神者”而不是“盗尸人”），作品中外星球的茧可以生产出居住在附近的人的复制品。其他电影中，外星生物把人类关在一个个茧中，人在里面变成了“别的”东西，这种变形因为其不可见性更加让人害怕。在雷德利·斯科特拍摄的著名电影《异形》中，从蛋里孵化出来的怪兽的幼虫是一种由蜘蛛和蝎子组合而成的巨大生物，看上去十分可怕，但是毫无疑问，这是一种动物。它的行为像是拟寄生动物，因为它把卵产在一位宇航员的肚子里。几天后，从他肚子里出来的就是这种动物的幼虫，它借助人的身体生长、蜕变，就像姬蜂的幼虫利用毛毛虫一样。这部电影再一次让大家看到了自然的种种恐怖面！

1 中文译名《异形基地》，英文原文的意思是“盗尸人”。

从前，孕妇的肚子就像虫子的蛹一样神秘。如何理解胚胎的变化呢？

精子

微生物的变化

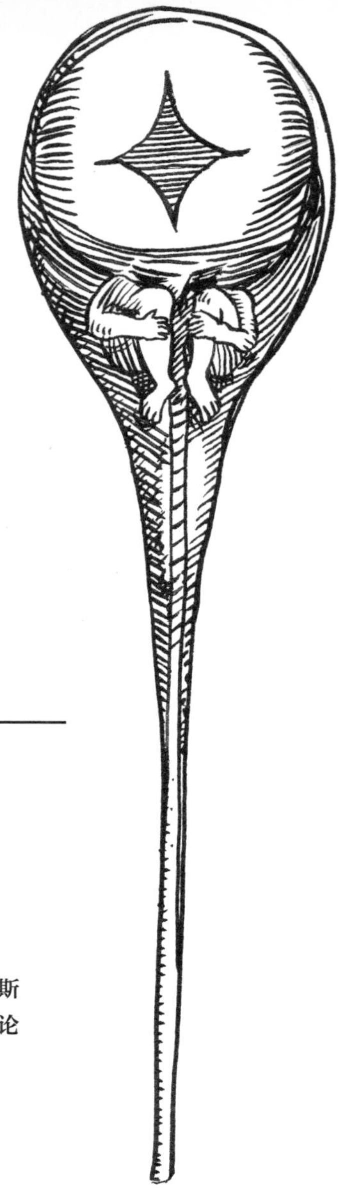

精虫，尼古拉·哈斯托克绘，1694年，《论屈光学》。

“如果孕妇忽然对自己的大胃口不满意，大家为什么会建议她把手放在背后呢？”这是一本专门写给大众看的实用建议合集中的一个问题，这本书的题目是《与医学以及健康制度相关的流行的错误与普通建议》，出版于1856年，作者是著名的医生、蒙彼利埃大学训导长洛朗·茹贝尔。这一问题影射了女人怀孕时惊人的胃口，据说这会导致血管瘤，俗称“红酒斑”，有时还会波及新生儿。“许许多多的故事都提到了孩子身体表面显而易见的斑点，并且都将它们归因于母亲怀孕时惊人的、毫无节制的好胃口。有些孩子身上的斑点像樱桃，另一些孩子身上的斑点像覆盆子，长在鼻子或者身体的其他部位……还有的斑点像野兔的嘴巴或者脸、鲱鱼或者鳗鱼的脑袋……所以现在孕妇如果忽然变得特别贪吃，大家都让她把手放到自己的屁股上。普通的民众都认定，在这段奇怪的病态期间，如果孕妇触摸自己的脸、鼻子、眼睛、嘴巴、脖子、胸部或者其他身体部位，孩子的相同身体部位就会长出斑点，都是母亲的贪欲惹的祸……最好能让这些斑点长到屁股上或者衣服能遮住的其他地方。”茹贝尔承认孕妇的心情以及行为对孩子的生长发育有一定的影响，但是他认为这些所谓的贪欲都是“无稽之谈，就像女人诓骗丈夫说，他不在的时候，她因为吃了雪所以怀上了孩子”。

之后，大部分医生都否认这一错误的观点，但是它已经根深蒂固。哲学家、神学家尼古拉·马勒布朗什在其创作于1674年的作品《论想象》一书中极力宣扬这一观点：“可以说，几乎所有死于健康母体中的胎儿，他们的不幸只有一个原因，那就是母亲某种可怕的、狂热的欲望，或者是其他热烈的情感……如果母亲十分想吃梨，孩子就会变得和她一样，狂热地渴望吃梨……这些可怜的孩子就变成了他们心中所想之物。”马勒布朗什还发现了母亲的大脑和孩子的大脑彼此有所联系：“如果没有这种勾连，那么我觉得女性和动物就不可能如此轻易地生出各自类属的后代。”

这些偏见如此盛行，好几本书都专门探讨了这一主题。在出版于1737年《论孕妇的想象力对胎儿的物理影响》一书中，英国医生詹姆斯·布隆德描写了一直盛行不衰的观点：“如果母亲一直想吃贻贝而不得，她的不满就会使得腹中胎儿的脑袋变成贻贝的样子。如果一个身体残疾的人出现在孕妇的面前，这可怕的景象会使得胎儿的手或者脚也变得残缺……我所说的想象学家，就是指那些相信孕妇的想象力会影响胎儿的人。”这位医生觉得这些观点荒诞又可笑，他认为“比起畸形，正常的人才更叫人觉得可怕”。

无论孕妇能不能改变孩子的身体形状，主要问题其实是

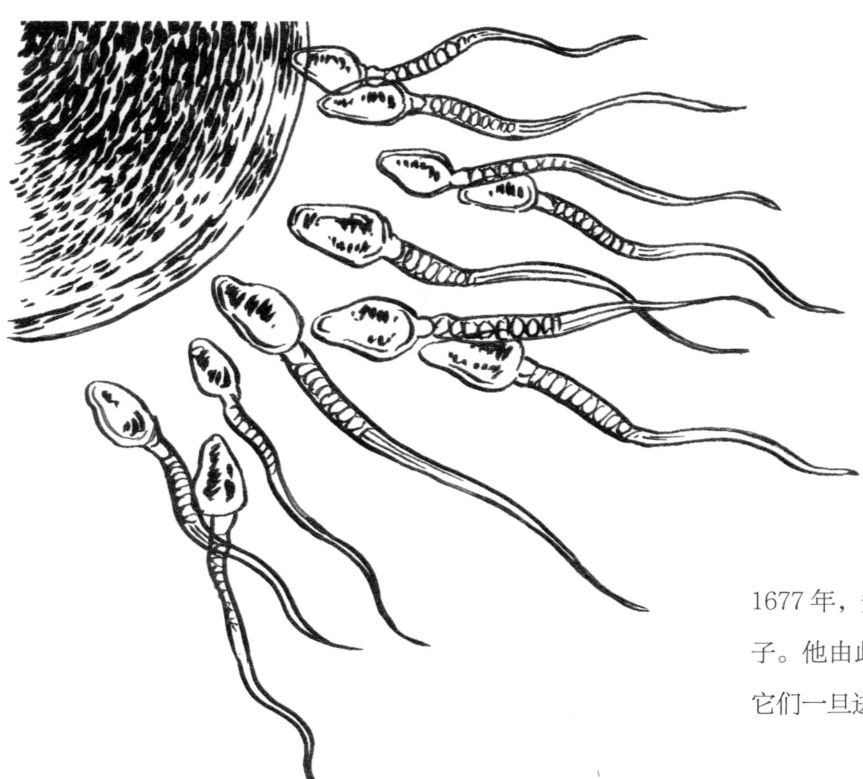
只有在十分精密的显微镜下，才能看清楚精子。

胚胎的起源。在有史料记载的最早时期（可能在史前时期也一样，虽然没有文字可考证），人类曾试图解释孩子如何诞生，又如何在母亲的肚子里成长。几百年时间里，博物学家只是一味地引用古人的观点，后来，由于新的光学仪器的发明，慢慢出现了其他观点。有些论点在同一问题的各个方面所持的观点截然不同，比如，究竟是男人还是女人对于胎儿的产生具有更大的作用。

希波克拉底认为，胚胎是由分别来自母体和父体的两颗“种子”结合而成。亚里士多德认为父亲赋予胎儿运动以及“思想”的能力，至于母亲则只是为胎儿提供了必要的物质。但是，必须要解释清楚的是，为什么孩子有时与父母中的一人相像，有时与父母两人都相像，有时与谁都不像！

17 世纪时期，某些博物学家，所谓的“后生派”一直都支持希波克拉底的观点。但是，别人反驳他们，两个不定性的种子完全看不出物理结构，不可能自己结合在一起，产生胚胎所有的器官。他们最重要的敌人是“先成派”，他们认定胚胎在受孕之前就已经预先存在了。这一派又分为两个观点截然相反的阵营。“卵子派”认为胚胎预先存在于卵子中（它本身已经携带了以后的卵子），他们的观点尤其依托了查理·博奈的研究成果。1745 年，这位博物学家观察到，远离任何雄性蚜虫的雌性蚜虫长大后又生出了雌性小蚜虫，这些小蚜虫依然可以独自繁殖生育，先后持续了九代。其实这是一种单性繁殖现象，或者说无性繁殖现象，虽然令人称奇，但是在动物界其实非常少见。

与此同时，与卵子派相对立的是“微生物派”，或者说“蠕虫派”，他们依托的是当时对精子最早的描述，当时精子被称作微生物，因为它和沼泽地里发现的微型动物非常像。1677 年，安东尼·凡·列文虎克在显微镜下观察了人类的精子。他由此而认定，“精虫”的头部就是预先存在的胚胎，它们一旦进入女性的子宫就可以开始生长。

但是，如果情况如此，那么上帝又怎么会允许浪费这么多的微型“人”呢？在 1756 年出版的《论人类进化的方式》一书中，查理·范德蒙德医生驳斥了这一观点：“有些昆虫只有在蠕虫阶段结束后才会发生变形，以此为参照，有些人就认为蠕虫是人类生命最初的形式，就好像是在我们死后，蠕虫也是吞噬我们身体的工具。我们把自己看作小虫子，把人的存在简化为一次悲伤的变形。”范德蒙德还参照了布封的观点，“这位科学家没有把男性看作胚胎唯一的创造者，也没有把一切原因都归于女性，而认为这两个生命存在是为了共同分享爱的快乐才被创造，理应一起负责制造后代”。

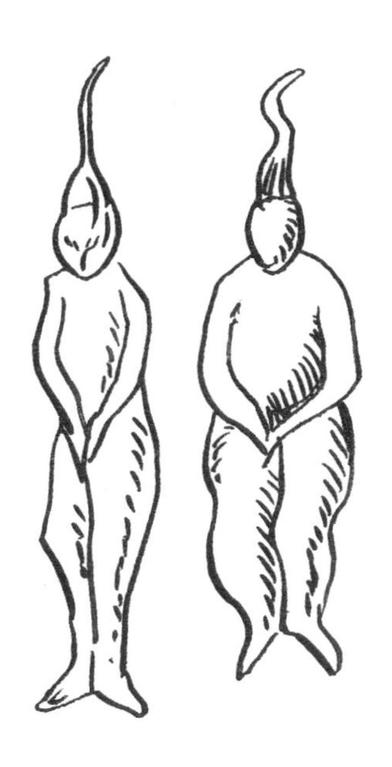
“人形”精子，弗朗斯瓦·德·普兰塔得绘于 1678 年。

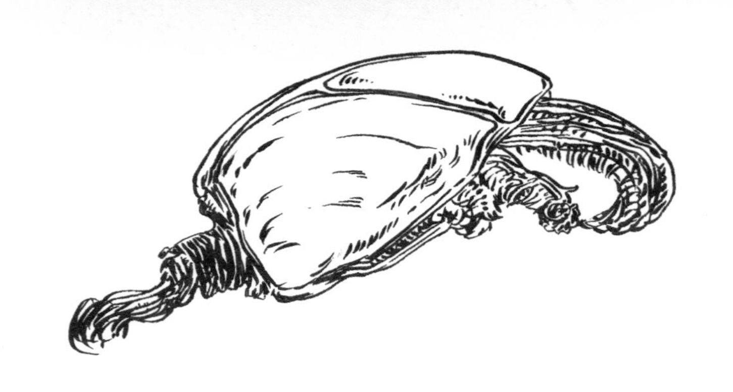

茗荷儿

载鸭树

大海上，漂浮的木头上有时会附着奇怪的动物，看上去像长着角质状花梗的贝壳。它们就是茗荷儿，也就是我们在鱼贩子那里看到的狗爪螺（鹅颈藤壶）的近亲。中世纪时期，人们以为狗爪螺中会生出鸭子。事实上，从来就没有人见过海番鸭、黑雁繁殖，这些海鸟秋天从格陵兰岛游到温带地区过冬，产蛋之后又回到北方去。传说，茗荷儿生长于树上，随断掉的树枝在海浪的推动下漂到了诺曼底的海滩。

这看起来的确很奇怪，克洛德·杜雷法官在他的著作《大自然奇花异草之逸事》中如此肯定地说道："那些鸟不是由父母交配、生育、孵化而来，而是从腐烂的枯树枝、破旧船只的木板、腐朽的桅杆与桨中出生、成长。"

茗荷儿有时被叫作黑雁，与真正的黑雁的名字一样。同样，在英文中，茗荷儿叫作 *goose barnacle*，而黑雁叫作 *barnacle goose*。

因为黑雁的出生方式如此特别，所以在四旬斋期间这些鸟被允许食用，因为在这一时期虔诚的基督教徒不能吃哺乳动物，也不能吃禽类。相反，如果黑雁是某种"鱼类"的后代，那么就可以吃它了！ 12 世纪末，加勒地区的大主教吉拉德揭示了这一宗教习俗，他承认黑雁的出生方式的确令人十分吃惊，但也许正是这一规避教规的方式促使这一宗教信仰一直保留至 17 世纪。

1671 年，苏格兰军人、博物学家罗伯特·莫雷在苏格兰的西部海滩上发现了茗荷儿。他向在英国科学院的同事描述了他自认为观察到的一切："在我打开的所有贝壳里，无论是最大的贝壳，还是最小的，我都发现了一种长得十分奇怪又十分完整的鸟，看上去它没有任何残缺之处，至于内部器官，也完全符合一只完美的海鸟的样子……小小的嘴巴就像是鹅的嘴巴；眼睛突出；头、脖子、胸、翅膀、尾巴、腿脚都十分健全，羽毛也一样，颜色乌黑；它的脚，依据我的记忆，和其他水鸟的脚没什么不同……我从来没有见过这样活着的小鸟，但是一些可靠的人向我保证他们曾见过拳头大小的这样的鸟。"

与它的外貌不同，茗荷儿并不是软体动物，而是一种甲壳动物，它的小爪子会在水里不停地动，捕捉它赖以生存的浮游生物。为了长大，这种动物也必须经历一种变形，尽管这种变形与我们的想象非常不一样。居维叶和拉马克在动物学分类中将它归错了种类，英国博物学家约翰·沃冈·汤普森第一个观察到这种动物从典型的甲壳状幼年体变成了成年体。之后，查理·达尔文出版了好几部与这一动物家族相关的著作，即蔓足亚纲动物，它们是与虾蟹很相似的一类动物。

如今我们都知道成年的茗荷儿是在水里产卵，破卵而出的幼体过着浮游生物一般的生活。它们与成年体完全不同，但是和其他甲壳类动物的幼体很相似，比如明虾。虽然一切都已经如此明了，但是茗荷儿还是在它们的学名 *Lepas anatifera* 中保留了一些传奇色彩，这个词的意思是"装着鸭子的贝壳"。

MÉTAMORPHOSE DE L'ANATIFE N° 55

茗荷儿的变形

茗荷儿树，又叫作载鸭树，是北大西洋沿海地区的一种灌木。它的果实叫作茗荷儿，传说从中可以诞生出黑雁。虽然法语中的“黑雁”是阴性形式，但是其实出生的黑雁不仅仅有雌性，也有雄性。

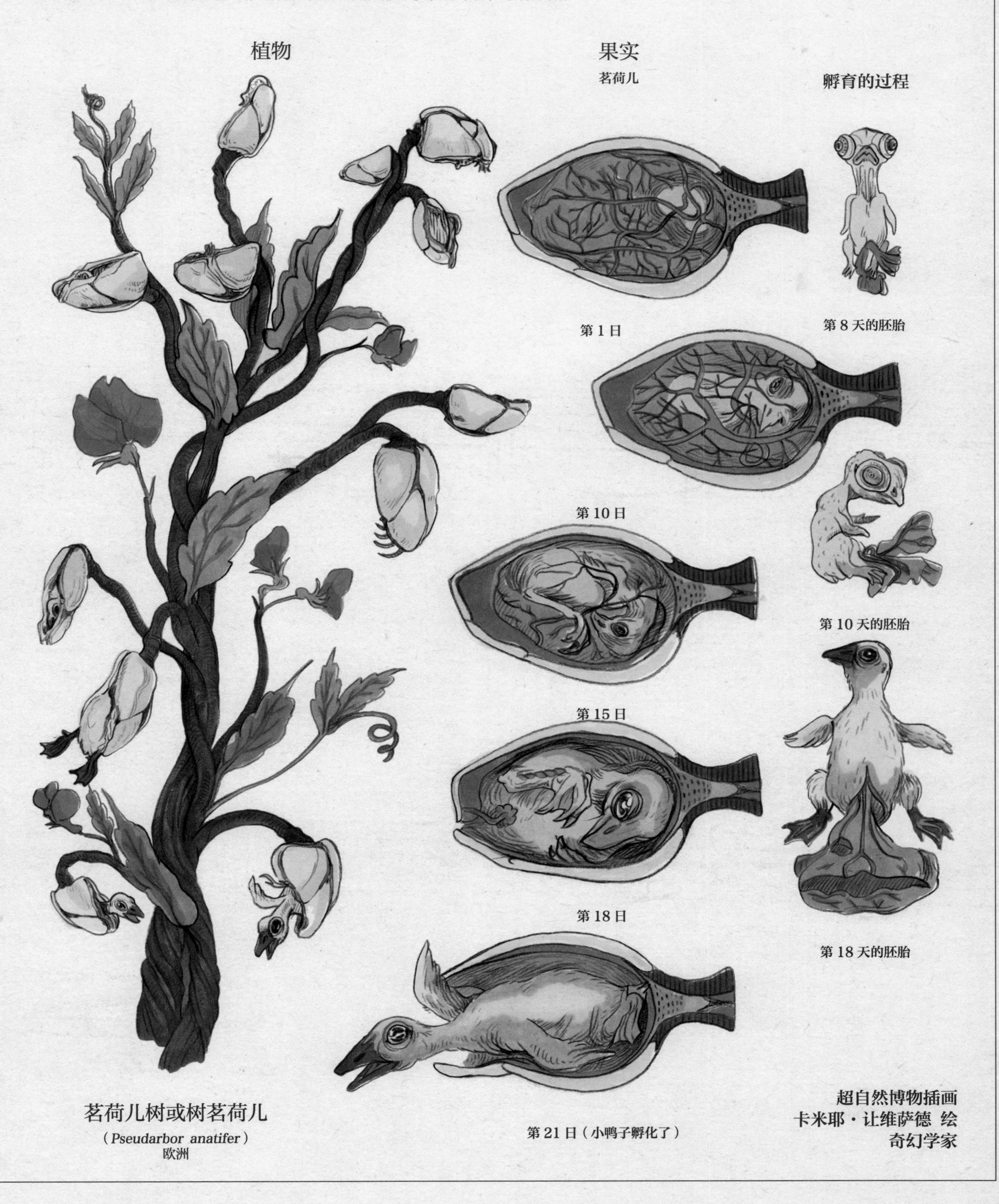

茗荷儿树或树茗荷儿

（*Pseudarbor anatifer*）

欧洲

超自然博物插画

卡米耶·让维萨德 绘

奇幻学家

蜕皮是指蜕下旧的外皮，换上新的外皮，但也可以指突变，改变模样……变形！

青蟹

蜕壳期之外

在海边，如果把海斗放进一个充满海水的洞里，人们有时会抓到一种“软壳蟹”，它的壳被手指捏着时，会深深地凹下去。人们经常会把它扔掉，是因为它黏糊糊的让人觉得恶心，其实这只是因为它正在蜕壳而已。几个小时之前，它冲破了旧壳，把自己袒露出来，而新壳还没有沾染盐岩，所以还很柔软。18 世纪时，这种“软壳蟹”被大家叫作胆小鬼蟹，“它们离开自己的壳以后，会一直躺在沙子上，一副懒洋洋、筋疲力尽的样子，半死不活。只要新壳还很柔软，它们就一直很胆小，不敢让人看见。然而一旦它们恢复了体力，就会变得勇猛无比，会勇敢地与攻击它们的墨鱼、枪乌贼、珊瑚虫做斗争”。“软壳蟹”之所以变得这么勇敢，是因为新壳变得无比坚硬的缘故。但是在新壳变硬之前，它会吸水使身体膨胀，以便从旧壳中脱出。它的每一次生长都是通过这种方式实现的，一个阶段接着另一个阶段。通常，蜕壳仅仅意味着外壳的变化，这促使螃蟹生长。如果断了一条腿，有时它甚至会在这一阶段重新长出一条腿。至于旧壳就会被它彻底抛弃，但样子完好无损，以至有时会被人当作死去的螃蟹。这个旧壳当然很轻，而且背上有一道隐约可见的细缝，“新”蟹正是从这个口子里诞生的。

对于海洋动物而言，蜕壳往往伴随着真正的变形。所以，青蟹从浮游生物的状态开始新的生命。它的幼体漂浮在水里，先经历四个分明的“幼体”阶段，再经历一个“成熟”阶段。幼体时期，可以明显看到又长又尖的额剑（有点像剑鱼的额剑，但是小很多，因为它只有 1 毫米长），此外背上也长着一根刺。因为壳渐渐变化，所以第四阶段的幼体是半成年体状态。这一新的形态仿佛是一只长着细长尾巴的螃蟹，或者是一只身体前部肿胀得变形的虾。它还会让人联想到电影中幼年时的外星人，但是没有那么可怕，因为外星人要小很多，会停在宇航员的脸上。螃蟹的生长变化没有那么奇特。半成年体青

螃蟹的幼体在水里过着浮游生物的生活。它壳上的刺是很厉害的武器，还可以防止它沉到水底去。

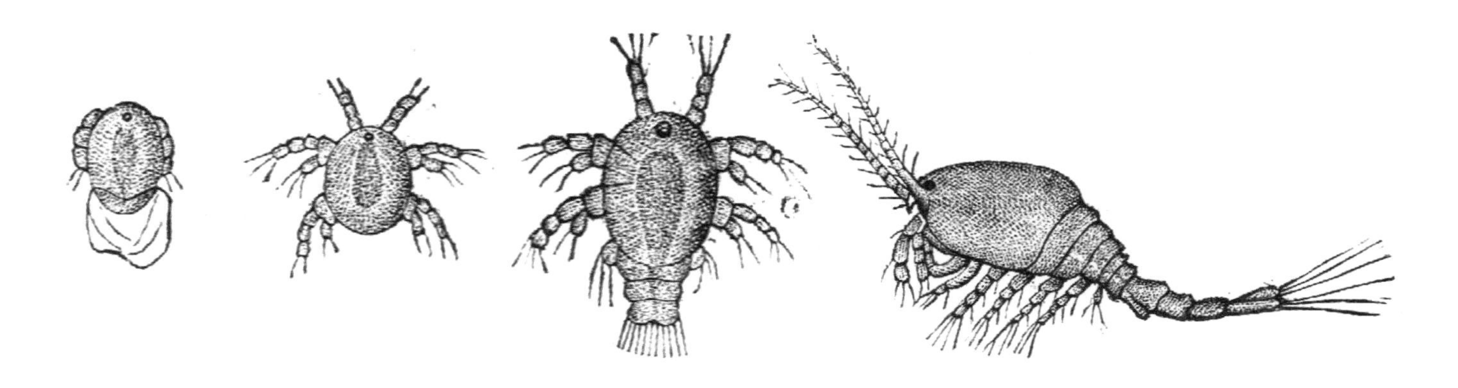

剑水蚤是一种生活在淡水中的小型甲壳类动物。在它的生长过程中，它的幼体要经历好几个阶段，即无节幼体阶段。

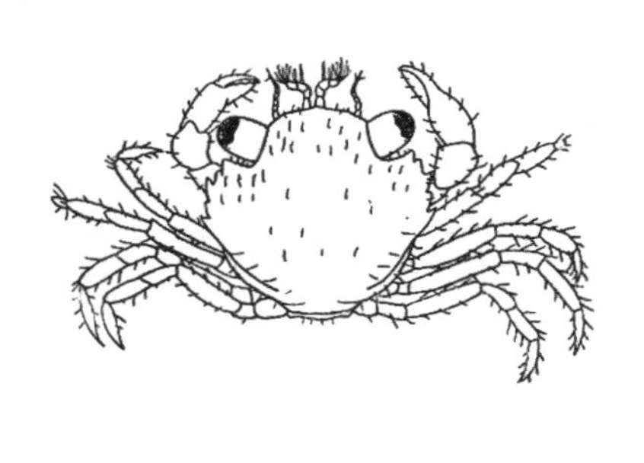

青蟹的成年状态和幼年状态。

蟹最后沉入海里，经由一次新的蜕壳，变成一只小小的成年蟹。

蜕壳并不只会发生在昆虫或者甲壳类动物身上。蛇也会定期蜕皮，蜕下老去的皮，而新的皮早已在下面慢慢生长，无论是形态还是颜色都不会发生改变。哺乳动物的皮毛也会不断变化，但是这一过程非常不容易被察觉。某些动物的皮毛变化非常迅速，尤其是在春秋两季。雪兔纯白的毛会布满棕色斑点，除了颜色，毛的长度也变了，这就改变了兔子的样子。同样，大部分鸟儿都会经历一段幼年时期，此时的羽毛与成年后的羽毛十分不同。安徒生的《丑小鸭》为我们提供了一个十分具有说服力的故事："它再也不是一只长着黑灰色的毛、令人讨厌的丑小鸭了，它其实是一只天鹅！"

2010 年初，国际猫科动物组织认可了一种新品种的猫。因为在饲养过程中偶然发生了变化，这些"狼人猫"身体的某些部位没有毛，尤其是在眼睛周围，而且它们会定期掉毛。虽然它们并没有发生真正的变形，但是它们的名字与狼人相关。这些猫发生了突变，又与狼人相像，它们似乎同时具备了古时神奇动物的奇幻性与分子生物学实验室的现代性。

"狼人猫"的出现并不是因为偶然的基因实验，而是因为在饲养过程中出现了自然选择的新特征。

生命死亡后的历程令人感觉神秘；生态学诞生，坚决否认不可信的天主教信条……这一切都促使动物学家编造了最令人吃惊的变形！

天使

超人类的生命

奥维德的《变形记》表明了人与自然之间确定无疑的关系。他所描述的男男女女会迅速发生变形，以一种“几近自然的方式”，都是因为违背诸神的意志。他们中有些人变形后原先的优点更加明显，比如阿拉克妮，被迫永远织布，但与此同时，她也得以一直磨炼自己的技艺。凶残、暴虐的莱卡翁变成了狼，是对自己的一种讽刺。他虽然改变了面貌，但是本性未变。即使变形通常都是不可逆的现象，某些动物还是能恢复人的原形，比如被瑟西变成猪的水手，或变成白色母牛的伊娥。

根据天主教教义，天使守护着活着的人，但是它们并不是由人而生！它们来自“达到宇宙之完美”的神。

但是，奥维德认为，动物与人截然不同，因为动物不会说话。他描写的所有动物都保留了人的原本的思维，但是不能够证明它们的真实身份，也不能证明它们遭遇了什么（除了伊娥，她借助牛的蹄尖，在沙子上写下了自己的名字）。之后，基督教哲学家致力于构建人与动物之间不可逾越的关系。进化论者很难克服这一艰难的障碍，他们从19世纪开始，一直都在努力搭建人类发展史与动物发展史之间的桥梁。

与此同时，在正式为这一科学正名以前，博物学家创造了生态学。各种生物之间复杂的关系、自然界的平衡与和谐是自然神学创造的奇迹的一部分，正如美丽的花以及行为奇特的动物一样。在这幕伟大的生命之剧中，每一个生命似乎都被伟大的造物主置于设计好的地方。每一个生命的细节都显示出神的伟大力量以及仁慈，这些观点至少持续到19世纪，从那时起，博物学家开始摆脱神学的假说研究自然。

正是在这一自然神学和生态学领域，在与生物学的交界处，出现了一本由路易·费吉埃撰写的书，这本书非常古怪。在整个19世纪后半叶，这位科普学家出版了好几十本著作，关于动物、植物、岩石、史前史、物理以及化学。他的书多次被再版，经常作为毕业奖品颁发给优秀的高中毕业生。虽然费吉埃是一位坚定的反达尔文主义者，但是，他极大地推动了法国社会科学思想的传播。

1871年，他出版了《科学的视角：死后的世界或者将来的生命》，在这一大部头著作中，他试图科学地揭示灵魂的不朽！他认为，身体与思想（或者说灵魂）是两个截然分开的实体。既然一代又一代物质没有消失，只是改变了存在的

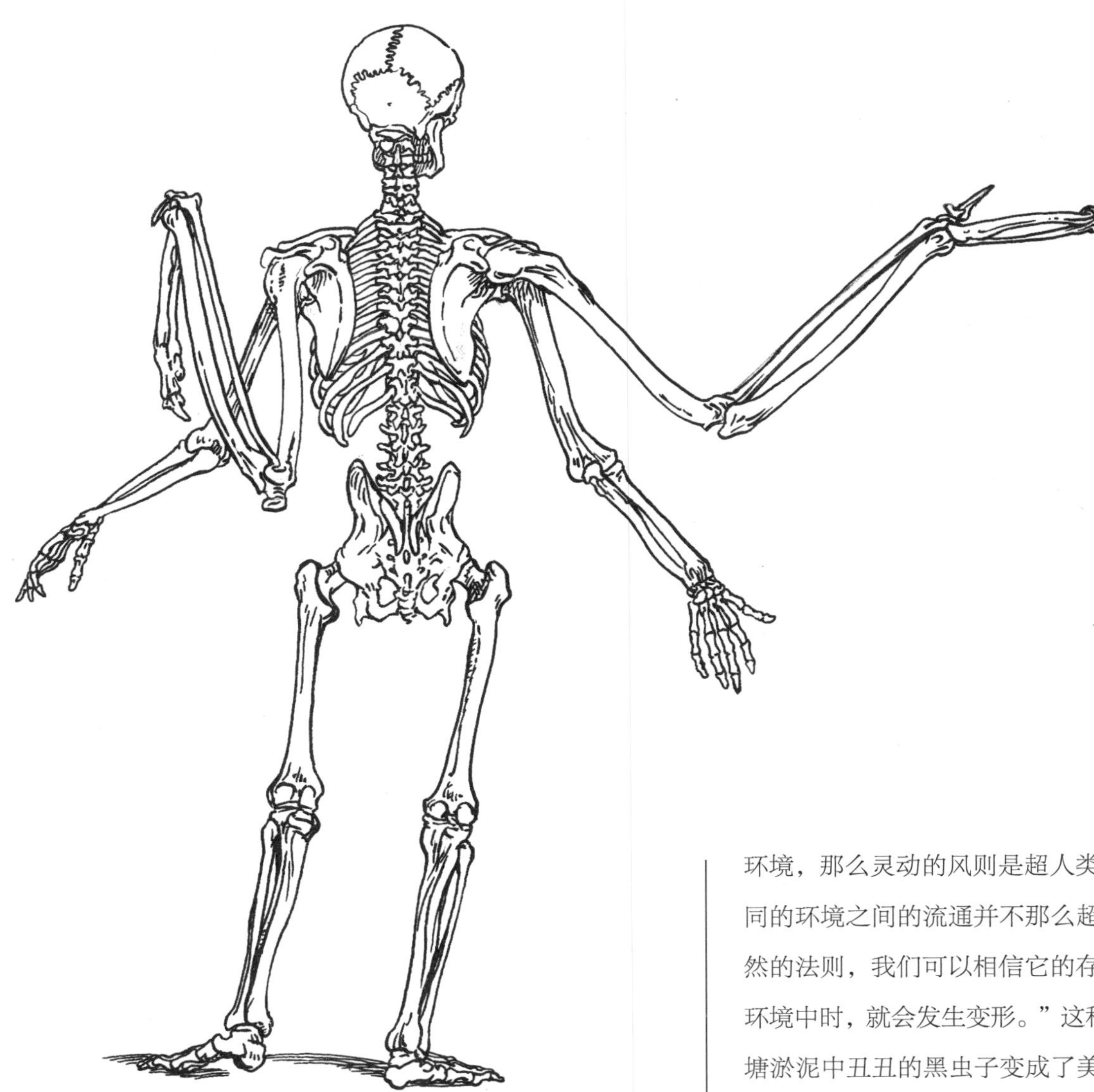

动物学家认为，传统天使的翅膀相当于第二对手臂。也就是说，这是一种六肢脊椎动物。这就使它被排除在这种动物群的进化史之外（就像某些龙）。

状态，那么思想应该也一样："和物质一样，思想只是改变了形态，但是从来没有彻底消失。"他以这一方式否定了古时以来所有的"灵魂转世说"，因为"灵魂的永恒性""本身就是不言自明"的事实。

真正的问题是，灵魂在死后究竟变成了什么："归根结底，灵魂是否不灭对我们而言一点都不重要，我们的灵魂，它的确不可摧毁、永恒不灭，只要它能去服侍另一个人，或者，就算它又回到我们自己身上，它也不会记得往世。因为没有任何对过去的记忆，灵魂的重生也就变成了一种真正的死亡，是唯物论者所说的虚无。"

路易·费吉埃试图证明我们的灵魂其实存留在"另一种生命形式"里。在他看来，死后，灵魂变成了一种超人类的存在，即我们通常所说的天使。"如果说大气是人类居住的环境，那么灵动的风则是超人类生命生活的环境。这两种不同的环境之间的流通并不那么超乎寻常、奇怪，也不违背自然的法则，我们可以相信它的存在。某一个生命穿越到新的环境中时，就会发生变形。"这种变形就像是我们见到的"池塘淤泥中丑丑的黑虫子变成了美丽的蜻蜓，优雅而灵动地飞向天空……可以说，从这一观点看，人类就是超人类的幼虫或者蠕虫状态"。

这一生命从人一出生便栖息于人的身上，除非这是一个品德十分高尚的人。在这种情况下，他就会发生另一种变形，他会变成大天使。路易·费吉埃描写了一种不可思议的宗教-生物性循环。灵魂在经历一系列变形之后，抵达了太阳，它成了太阳的一部分，然后又以美好的阳光这一形式重新返回大地。这些阳光将灵魂的嫩芽植入植物中，它们会慢慢长大、成熟，从植物变成低等动物，然后变成鸟、哺乳动物，直到最后变成人。

费吉埃是一个非常虔诚的天主教徒，但是他认为这种灵魂转世的形式更加适用于基督教徒关于地狱与天堂的学说，只是他认为这些学说没有道理可言，与神的仁慈不相符："比起遭受永恒的折磨，再次回到人间事实上是一种并不那么残酷的惩罚，且更加符合情理。惩罚和罪行成正比，它公正而宽容，就如同父亲的责罚一般。"费吉埃的书本来被天主教廷列为禁书，之后又重新出版，直到1904年先后印刷了10次，那时离作家去世或者说"变形"已经有10年了。

第 5 章

MÉTAMORPHOSES LENTES

—

缓慢的变形

如果变形变得缓慢，甚至持续好几代生命，这就不再是个体的变化，而是集体的变形，即物种演化。

飞鱼 102
寄居蟹 104
马 108
鸭子 112
怪物与突变 114
家养动物 116
猴子 118
超人类 120
未来人 122

飞鱼

《特里亚麦德》中最初的海洋

1748年，一部研究“印度哲学”的著作问世，题目是《特里亚麦德：一位印度哲学家与法国传教士就海洋缩小、大陆成形、人类起源等问题的对话》（后文统一简称为《特里亚麦德》）。有趣的是，这本书的扉页上写着哲学家对诗人西哈诺·德·贝热拉克的寄语：“诗人全部的疯狂……他是我这些梦幻之果的引路人与支撑。”这部著作其实是博努瓦·德·马耶的遗作，他是法国驻埃及领事，也是一位博物学爱好者，书名《特里亚麦德》（*Telliamed*）从后往前读便是他的名字（De Maillet）。他一再要求这本书必须在他死后出版，因为他害怕他的思想会引发教廷对他的迫害。

作家想象的关于我们这颗星球的历史与《圣经》中的说法其实不相吻合。《特里亚麦德》认为，曾经大海覆盖着我们星球所有的地方，因此那时所有的生物都是海洋生物。之后，当某些地方的水退去，水生动物转变为陆生动物：大象是从海里的大象变化而来，狗是从海里的狗变化而来，而人也是从海里的人变化而来，作家认为海里的人至今仍然生活在海里。所以没有亚当、夏娃，地球已经有好几百万年的历史，《圣经》则认为它只有6000年历史，所以两者相互矛盾。这本著作当然被列为禁书。

飞鱼在飞行的时候喜欢滑翔，不拍打“翅膀”。

虽然这部著作包含了一些非常奇幻的论点，比如海里的人类，而且作者没有提出任何证据来证明自己的“系统论”，但马耶还是可以被看作进化论者的先驱。他是最早提出物种的状态不是一成不变而是不断变化的理论家之一。他还举了一个飞鱼的例子：“经常会见到长着翅膀会飞的鱼，在大海上捕食或者被其他动物捕获，它们对猎物充满渴望，同时又担心丢掉性命，最后跌入芦苇丛中或者草丛中……它们的鳍失去了海水的浸润，因为干燥而开裂、变形……它们肚子下面的小小的鳍端，就像鳍一样，之前在海洋里可以帮助它们移动，现在慢慢变成了脚，帮助它们在陆地上行走。”

鱼变成了鸟！这种现象更像是一种变形，而不是进化，这种变形并没有引起博物学家的兴趣。因此，居维叶用这个例子来嘲笑拉马克的变形理论。之前，这本书也遭到伏尔泰的批评，不管怎样，他都反对一切赞成化石是动物石化的躯体的观点。其他一些作家也受到了这位哲学家的讽刺，比如让·德利斯勒·德·萨勒。虽然他不是博物学家，但是他对相关的问题都有自己的观点，并且他把这些观点写进了他的著作《论自然哲学：人类伦理简论》，这本书出版于1777年。就像同时代的许多人一样，他认为新的物种只有通过现有动物的杂交才能产生。因此，他认为飞鱼的起源是“某种非同寻常的结合，比如秃鹫与七鳃鳗的结合”。

事实上，《特里亚麦德》的观点更加敏锐。作者深知自己的变形理论很难让人信服，于是他又补充道：“哪怕无数条鱼因为无法适应新的习性而死去，只要有两条鱼能够存活下来，就可以保证后代的延续。”从这句话中我们可以发现某种自然选择的雏形，比达尔文还要早！最后他总结说：“蚕或者毛毛虫变成蝴蝶，如果不是因为这种变形每天都发生在我们眼前，如果在大家都不了解这种变形的地方讲述这一变形，就要比鱼变成鸟这种事更加令人难以相信。”

MÉTAMORPHOSES FOSSILES DES POISSONS-VOLANTS

N° 73

飞鱼化石中的变形

因为化石的存在，我们得以了解从鱼到鸟的变化。这些化石来自不同的地质层，我们可以从中看到鳍如何变成翅膀。

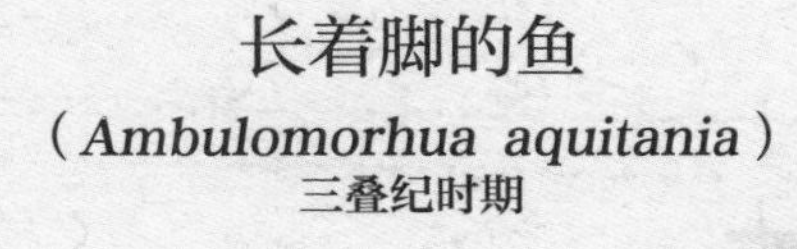

长着脚的鱼

（*Ambulomorhua aquitania*）

三叠纪时期

对白垩纪时期飞鱼变形的再现

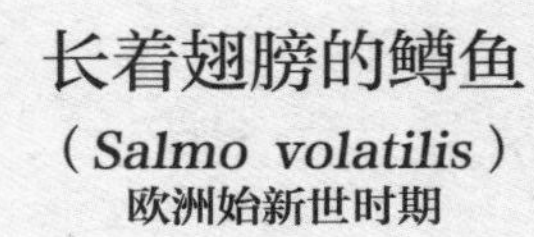

长着翅膀的鳟鱼

（*Salmo volatilis*）

欧洲始新世时期

鱼－鸟

理论上所说的过渡阶段

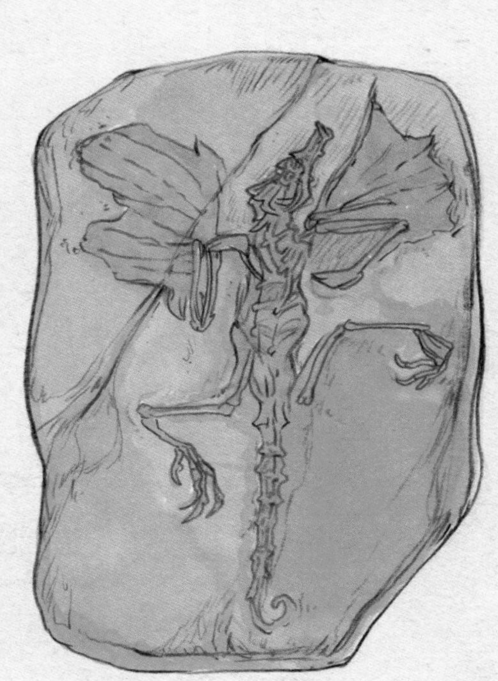

会飞的海马

（*Hippovolatus enigmaticus*）

全新世时期

鱼－猛禽

（*Harpago amphibius*）

侏罗纪时期

从表面看上去，寄居蟹一半是蟹的模样，一半是贝壳的模样，在某些博物学家看来，它可以很好地佐证进化论的观点，虽然它的故事完全是人编造出来的。

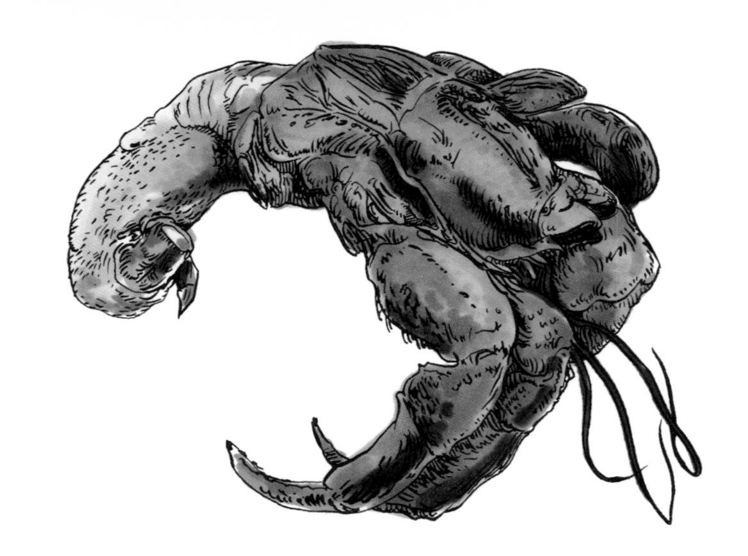

寄居蟹

生物的持续变形

1768年，博物学家让－巴普蒂斯特·罗比内出版了著作《关于生命形态自然变化的哲学思考：论慢慢制造人类的大自然》。在他看来，生命体在时间的流逝中慢慢发生了变形。这些“变形”最终构成了一个有机体生物链，它证明了生物“向生命体最高级的形式即人类的进化”。

正因为如此，他才描绘了“贝壳类动物”（即软体动物）向甲壳类动物的转变。这两类动物之间的过渡动物，在他看来，显然就是寄居蟹，这种动物把自己柔软的腹部藏在一个从海螺那里借来的壳里：“是不是因为它记得自己曾经的样子呢？或者是因为它想重新获取曾经蜕下的壳，就像是一只变形了一半的蜗牛？这种动物的本能让我们明白，甲壳类动物的确与贝壳类动物很相似。”

之后，罗比内又谈到了蛇，这种动物与甲壳类动物如此相似，因为“这两种动物每年都会蜕皮的特征最清楚地表明它们在生物分类中的相似性”。虽然这两种动物都会蜕皮，但是它们的内在结构非常不同。不过作者依然认为甲壳类动物的外壳进入身体内部，变成了蛇的骨头（这就简单地解决了前文提到的问题）：“甲壳变成了骨头，为了保护动物，

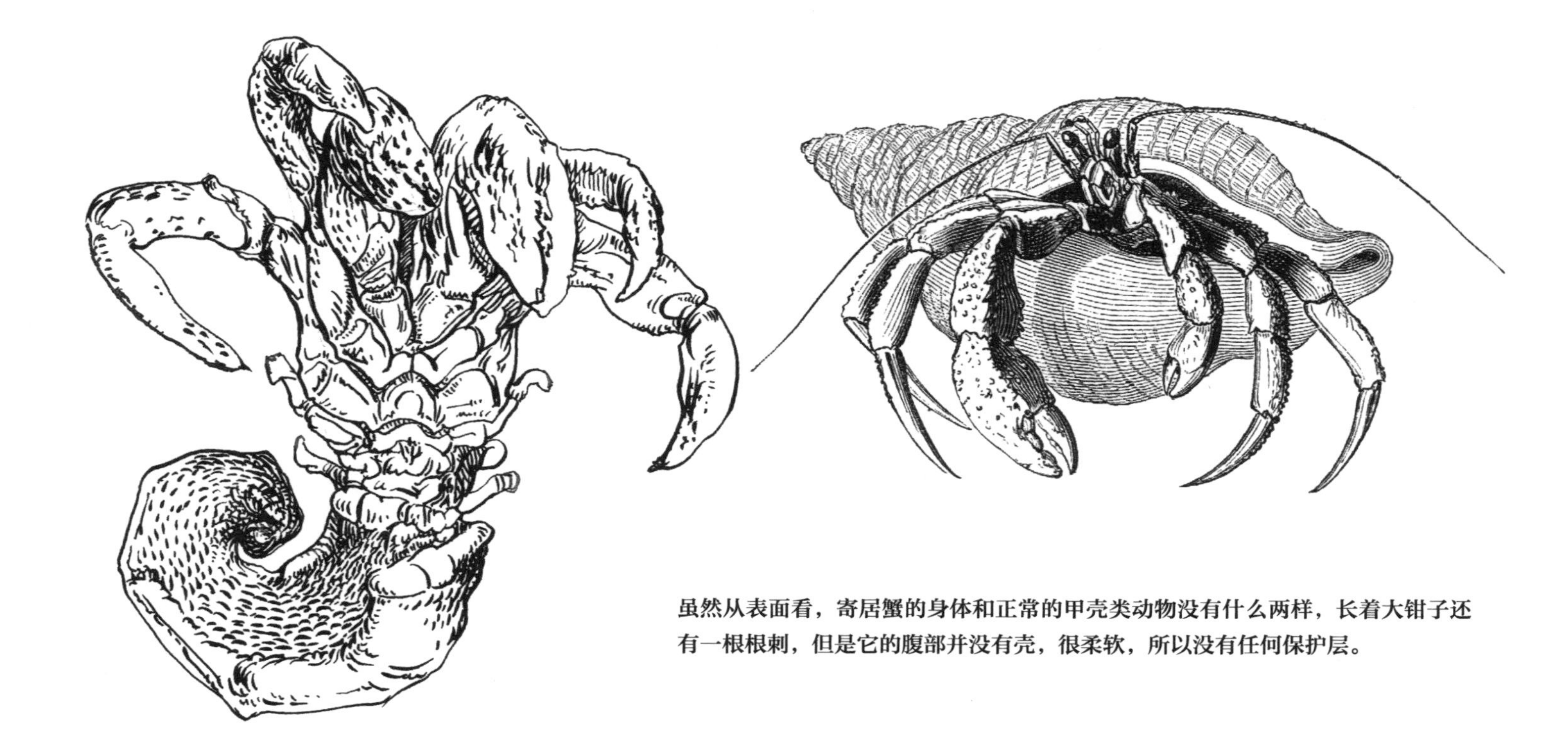

虽然从表面看，寄居蟹的身体和正常的甲壳类动物没有什么两样，长着大钳子还有一根根刺，但是它的腹部并没有壳，很柔软，所以没有任何保护层。

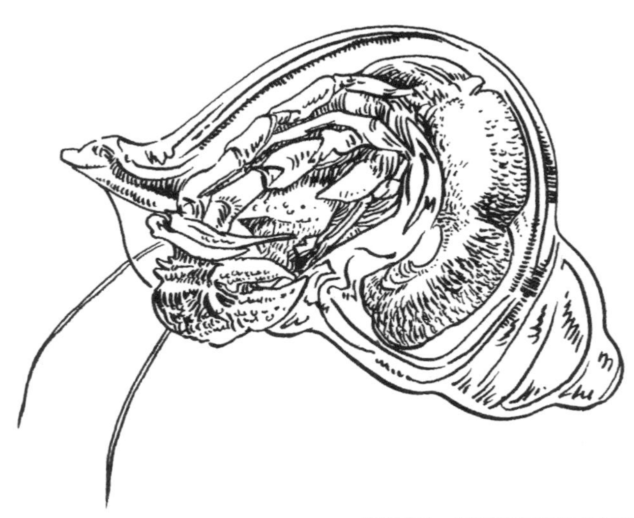

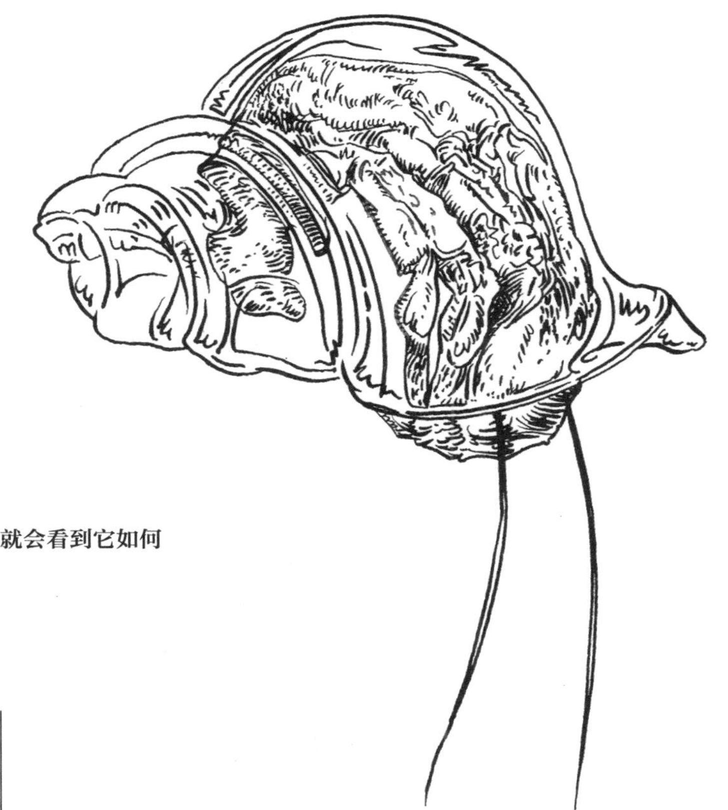

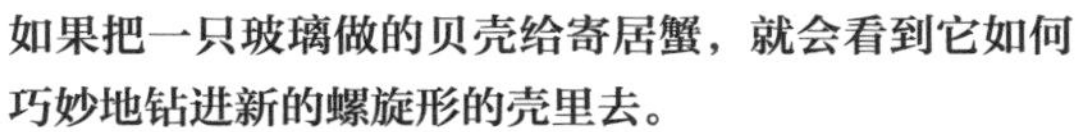

如果把一只玻璃做的贝壳给寄居蟹，就会看到它如何巧妙地钻进新的螺旋形的壳里去。

其身体表面只剩下角质层的薄片，这些是最初的身体物质的残余。”

之后，又从蛇推及四足动物。要想解释原本没有四肢的动物如何长出了四肢，就必须参照毛毛虫：“当它失去最初的各种身体器官时，它长出了新的器官，然后破茧而出。”罗比内认为，昆虫的变形不过是“宇宙生物持续变形”中的一个阶段。通过各种细致的分析，他试图证明虾变成了蛇，蛇变成了鱼！在他的理论体系中，蛇就相当于蛹，只是需要解释清楚脚的问题。

鱼变成了鸟（当然是先变成飞鱼），鸟变成了蝙蝠，蝙蝠又变成了会飞的松鼠。鸟经由长着巨鳍的鲨鱼变成了鲸鱼。海豚变成了海豹，然后变成了海牛，最后变成了海人，作家一直都在努力通过各种证据证实海人的存在！在这一观点上，罗比内还借用了《特里亚麦德》的故事。但是因为这些海洋中的哺乳动物都只有两个前肢，也就是说没有脚，他不得不重新研究四足动物，然后是四肢动物，即猴子，最后就是人类。

他的著作和《特里亚麦德》一样，是萨德伯爵“必读书目”之一，与伏尔泰、斯宾诺莎的著作并列。他的观点吸引了启蒙时期的某些哲学家，之后，又让黑格尔着迷。他提出的“生物的等级”预示了拉马克的变形论。但是他受到了博物学家的猛烈抨击，他们批评他借用一些不合理的相似性论证自己的观点，比如“这种特别的萝卜代表了一个女性形象”，他认为这种现象是大自然试验的结果：“仔细观察这一特别的存在，就会发现，大自然只是想要试验，人类的模样是否可以与植物的样子联系起来，两者又是如何共同呈现的。”最后他还总结：“变形已经往前进步了。我们看到在初次试验中，它相当成功。”

左图，“女人模样的古怪萝卜”，发现于波恩附近。右图，“六人－人形蘑菇”，1661 年发现于阿尔特多夫的森林。

MÉTAMORPHOSE DU DRAGO

中国龙的变形

中国龙的变形是它最重要的特征之一，但是迄今为止这一现象尚未为人充分了解。事实上存在着许多种不同的龙，它们的变形根据地区的不同而不同。最完整的变形要持续成千上万年。最后一次蜕皮后，成年的龙就可以飞走了。

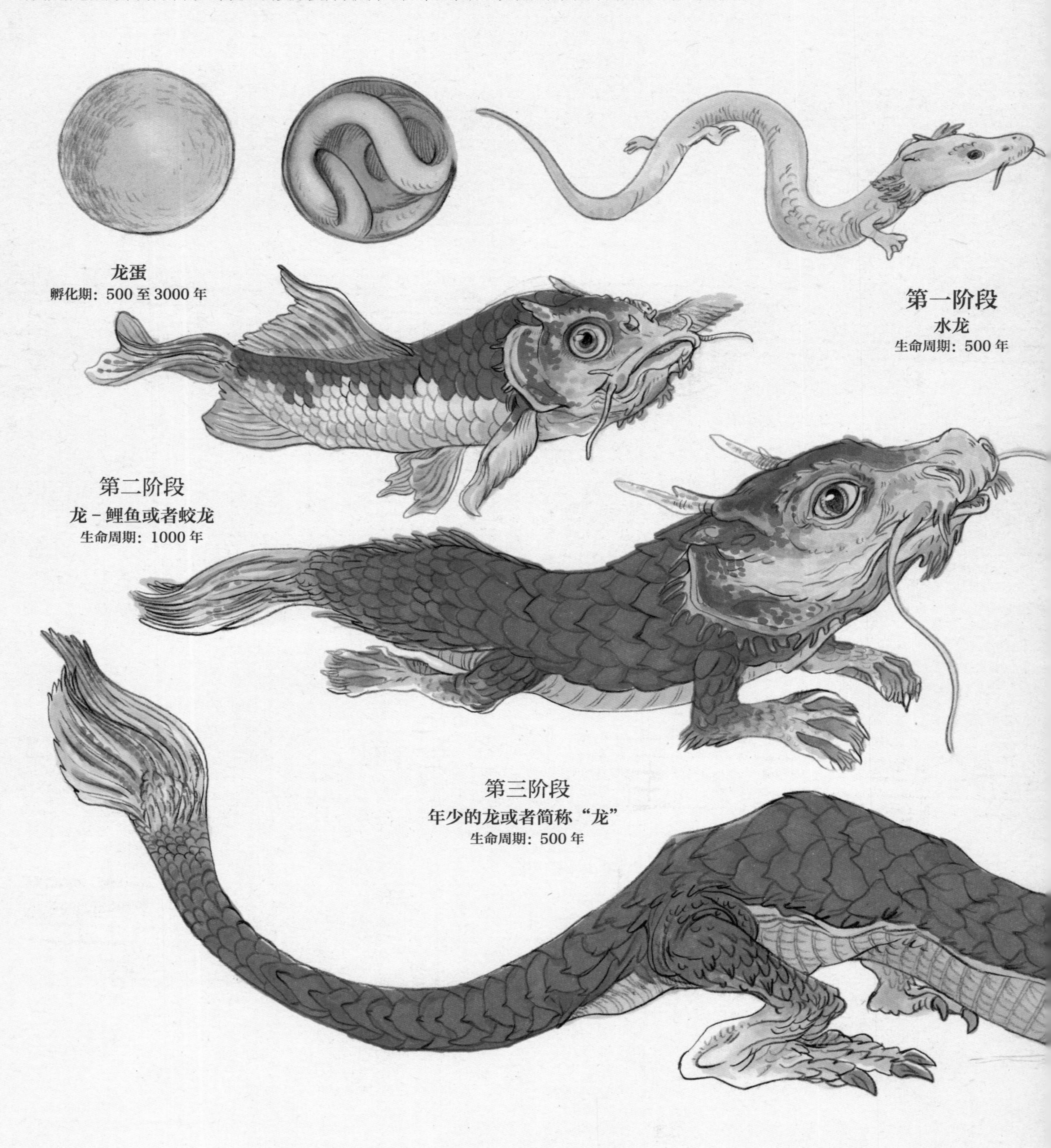

CHINOIS

N° 86

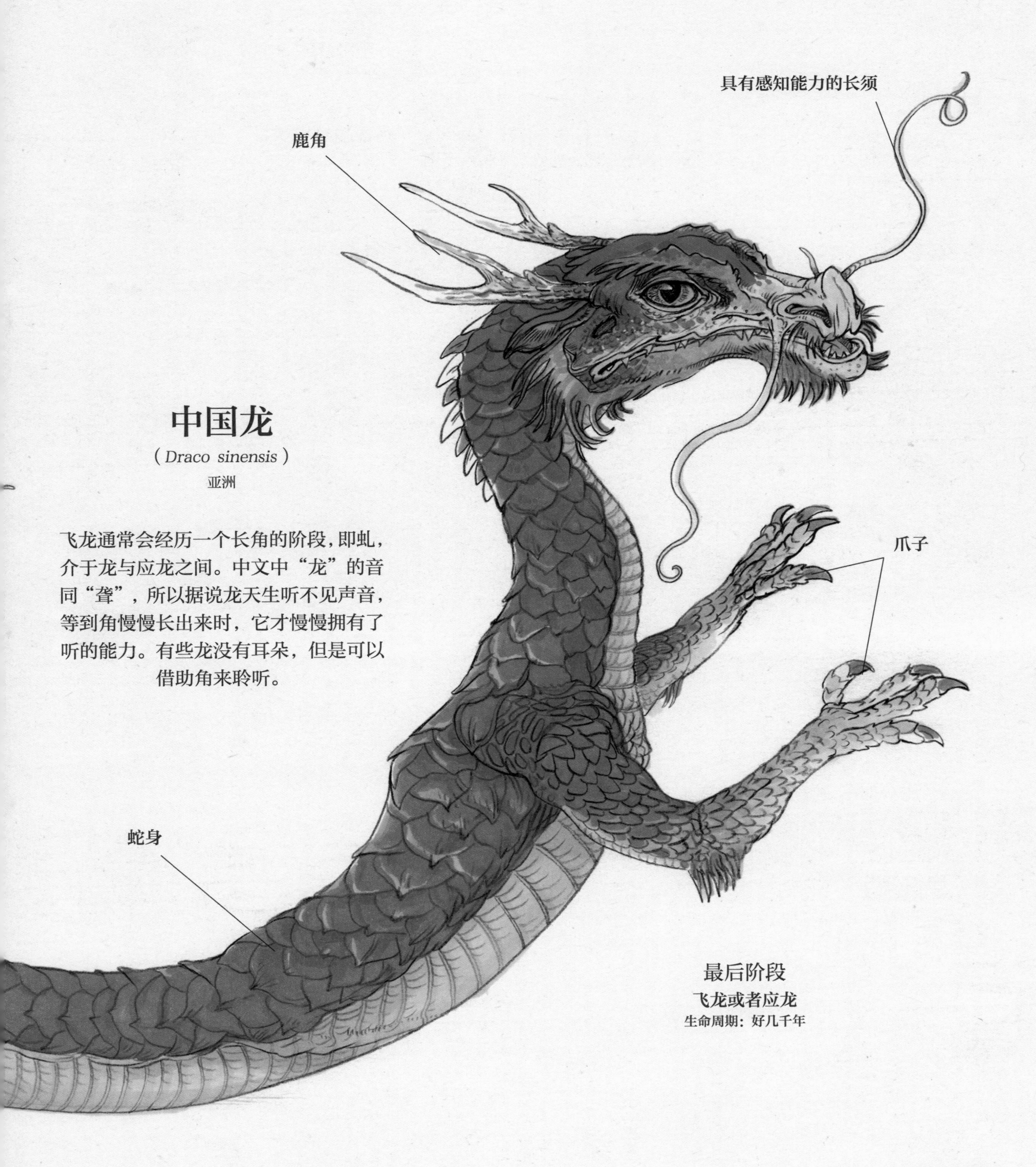

中国龙

(*Draco sinensis*)

亚洲

飞龙通常会经历一个长角的阶段，即虬，介于龙与应龙之间。中文中“龙”的音同“聋”，所以据说龙天生听不见声音，等到角慢慢长出来时，它才慢慢拥有了听的能力。有些龙没有耳朵，但是可以借助角来聆听。

最后阶段

飞龙或者应龙

生命周期：好几千年

超自然博物插画

卡米耶·让维萨德 绘

奇幻学家

物种之间的相似性科学地证明了某个造物主的存在？抑或证明了一种可进化的同一始源？

长着人头的小马，1254 年，维罗纳城附近（据昂布鲁瓦兹·帕雷记载，1575 年）。

马

否定亲缘性

“取人类的骨架，弯曲盆骨，缩短大腿骨、小腿骨以及手臂骨，拉长脚骨、手掌骨，将所有的指骨、趾骨合起来，缩短额骨，拉伸颌骨，最后拉伸脊柱，这副骨架就再也不是人的样子，而成了马的样子。”法国著名博物学家布封如此为我们描述了一种变形，虽然是想象的却不乏说服力。他通过一根根骨头、一个个器官，建立起人类与马的联系，这些相似性让人联想到一种可能的亲缘性。从人到马，并不需要太多的变化！“从这一角度看，不仅仅是驴子和马，人类、猴子、四足兽，以及所有其他动物，都可以被看作同一家族中的不同成员。”

但是，在这样一个生动活泼的解释之后，布封却犹豫了，相似性并不能证明这些动物的同源性，因为它们不可能属于同一个家族，因为《圣经》否认这种情况：“当然不是这样，根据神的意志，可以肯定，所有的动物都始于造物者的恩慈；每种动物最初的雄雌双方都出自上帝之手；大家都应当相信它们与我们现在所看到的它们的后代长得一模一样。”他用不可辩驳的、排除了一切争议性的权威话语替代了建立在观察与理性基础上的详细证明，以此声明绝对不可能存在所谓的进化，这只不过是一个思维的游戏，教廷也就找不到任何可以批判布封的证据。但是实际上布封撼动了宗教教义，委婉地揭示了进化论的观点，虽然他看似否定了这一观点。

1830 年，布封去世将近半个世纪后，吉奥弗洛·圣·伊莱尔提出的观点与布封的遥相呼应。他是自然博物馆的教授，认同变化论（进化论）的观点：如果考察形态，对比马的前肢与人类的上肢，只能看出一种非常粗糙的相似性；但是，

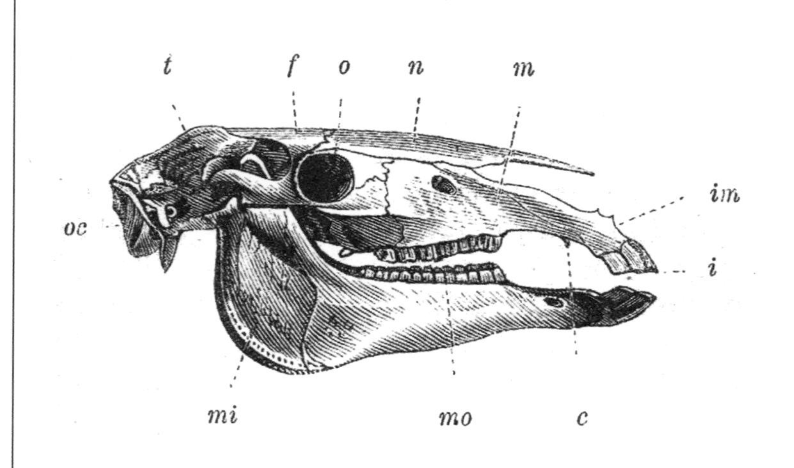

与骨架的其他部分相比，虽然这更复杂，但是我们依然可以将马的颅骨与人的颅骨一一对比。

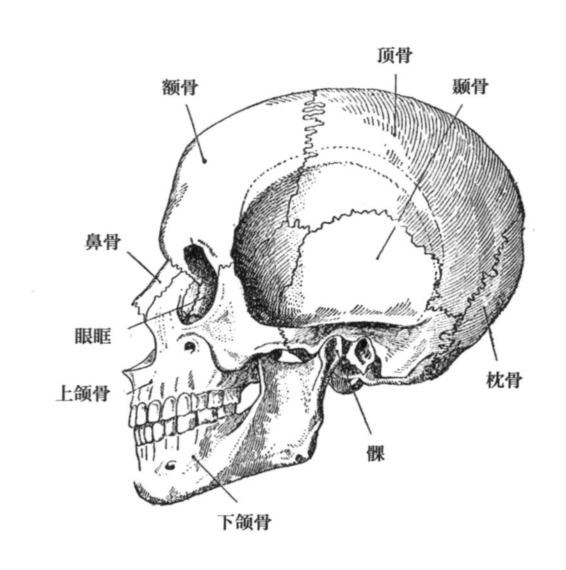

两者都有一样的骨头、关节、肌肉，且所有这些组织之间的构成与关系都一样，即相同的连接性。大自然在造物时只有有限的组织结构，它可以缩短、缩小、取消这些结构，但是并不会打乱它们之间的相对位置……这样的顺序、组织、联结在所有的动物身上都一样。因此并不存在许多种动物，准确而言，只有一种动物，在令人震惊的变形过程中，它的身体器官在形状、功能与尺寸等方面发生变化，但是构成它们的物质永远都一样。

两种骨架的相似性如今被看作平行进化的结果，它们都源于同一个骨架。

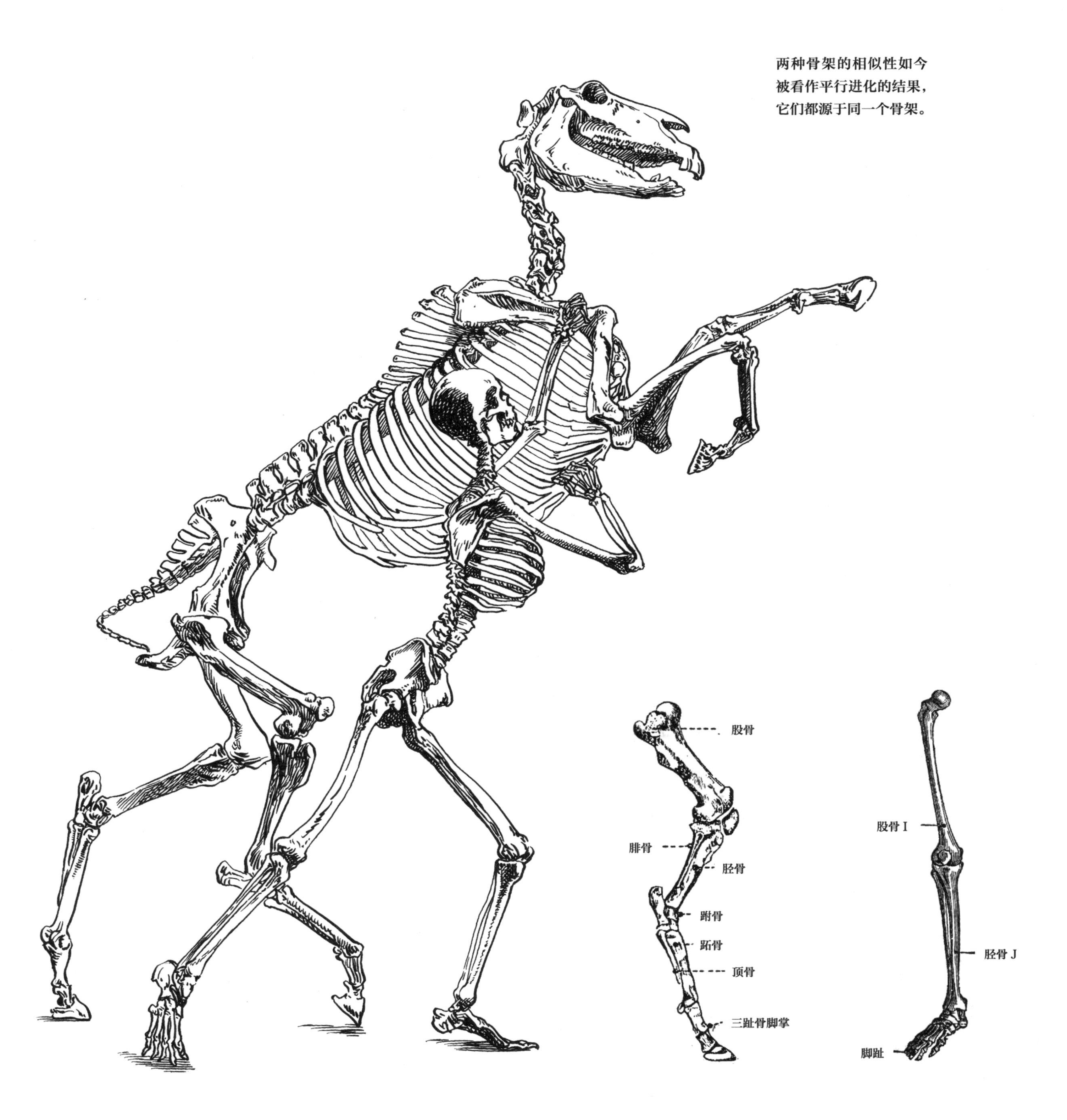

MONSTRO-MORPHOSE DE L'

人 – 马的变异

人变马的过程有时会半途终止，由此会生成一种中间状态的动物，人 – 马研究学家称之为伪变形或者变异。

古代的半人马似乎就是源自这些畸形物，这种形态经过好几代的进化稳定下来。

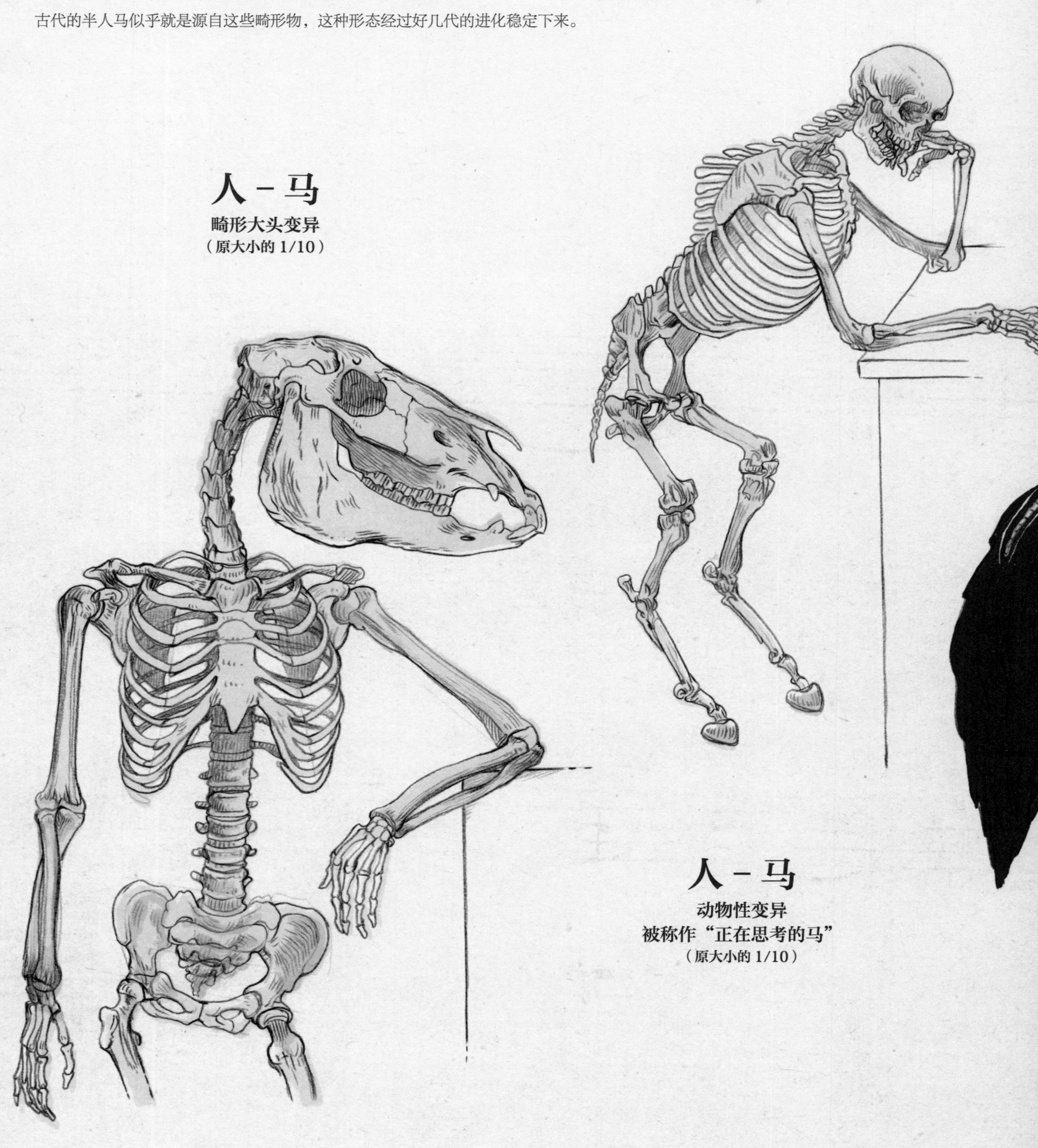

OMME-CHEVAL

N° 35

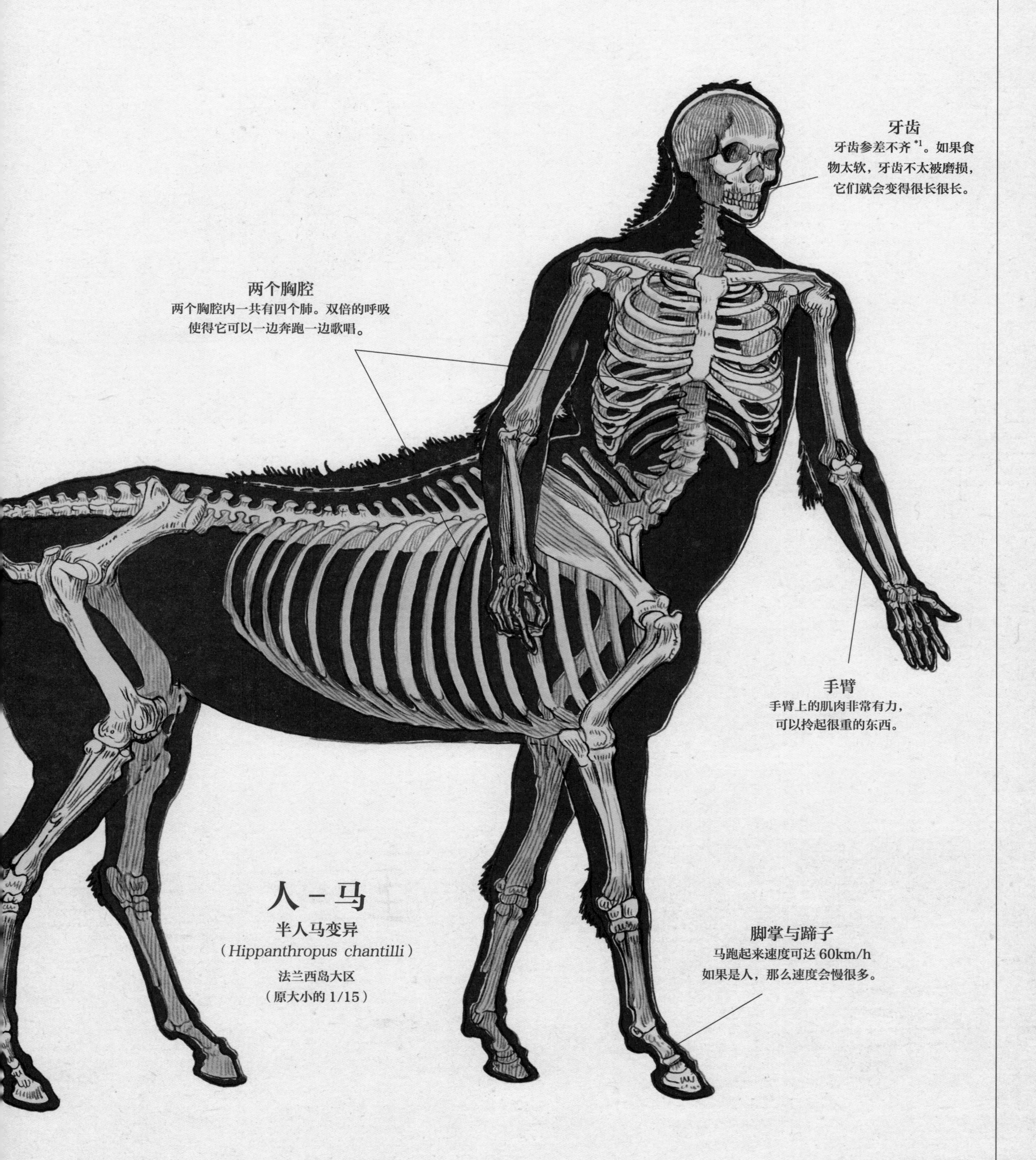

*1　原文为 ignaciforme，这个词并不存在，疑似由 Ignace 和 forme 两个词合成，Ignace 可以表示人的姓氏或者名字，也可以表示加拿大的地名，包括城市、河流、海湾等多个地方以此命名。

超自然博物插画
卡米耶·让维萨德 绘
奇幻学家

“功能造就了器官”，这句话一直很流行，但是这句话最终被两个世纪的生物学研究否定。

鸭子

器官的用途

鸭子浮在水面上，用力拍打脚掌，这样才能向前。因为不断用力，促使一种灵敏的内在机制不断发展，以至于长出了一种把脚趾连在一起的薄膜，于是，脚掌变成了脚蹼。拉马克在 19 世纪时期描写了这样一种变形：“将脚趾与脚掌连在一起的薄膜，通过脚趾不停地张开、闭合，最终具有了一种伸展性。因此，随着时间的流逝，连接鸭子、鹅等动物脚趾间的巨大的薄膜变成了我们现在所看到的样子。”当然，这并不是一种现实主义的描写，而是拉马克的一种假设。

在其出版于 1809 年的著作《动物学哲学》中，拉马克发表了自己的变形论观点。他在作品中强调现存的物种随着时间的变化慢慢变形，最终会形成新的物种。他反对“固定论”，尤其是居维叶代表的固定论观点，他们认为物种从来不曾变化，物种现在呈现出来的样子就是当初它们出现时的样子。随着越来越多的地质学以及古生物学的发现，越来越受到肯定的观点是，地球远比《圣经》所认为的要更加历史悠久，某些物种曾经存在过，但是如今消失不见了。拉马克以及其他一些博物学家认为，这些动物并不是灭绝了，而是变形了！因为教廷已经失去了自己的势力，再也不能像过去那样严格禁止这些观点的表达，所以，拉马克这种关于物种变化的假设显得更加重要。

一对蹼足类动物，绿头鸭。

拉马克想象这一物种变形的机制，从而提出了革新的观点。他认为，动物依靠自己，根据自己生存中的需求改变了自己的器官。可以将其观点用下面这句生动的话语进行总结：“功能创造了器官”。鸭子需要蹼，所以它就长出了蹼！拉马克利用有机体内部的液体流动所引发的变形来解释这一现象：“有机体内部的液体随着运动流动越来越快，从而改变了这些液体所在的细胞组织，继而慢慢形成一些通道以及各种不同的管道，最终依据液体所在的组织的状态，生成不同的器官。”他认为某一个个体身上发生的变化会遗传给其后代（这就是“获得性状遗传”），并且，一代又一代，日积月累，最终会引起物种彻底的变化。他以同样的方式解释了鸟类脚蹼的生成以及长颈鹿脖子变长的现象。

还有其他一些理论家不是这么有名，比如约瑟夫·布雷西医生，他在 1804 年提出气候以及食物对于物种变形的重要影响：“这就是为什么猫科动物慢慢变形成了猞猁、老虎

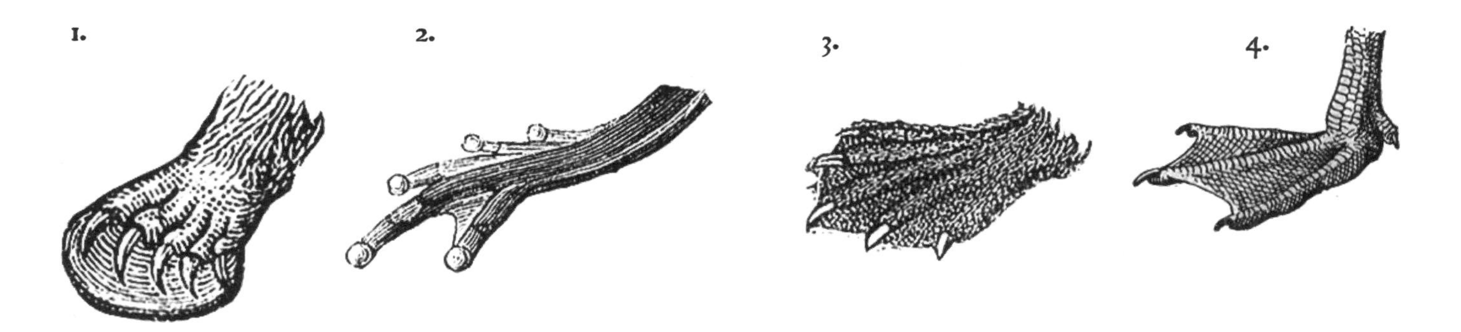

鳄鱼（1），青蛙（2），哺乳动物（3，例如水獭、海狸）与鸟类（4）都有蹼足。

以及狮子等不同的动物；如果猪的鼻子变长，脚掌在其庞大的身躯的重压下变平，长出长长的牙齿、松弛而宽大的皮肤，猪就变成了大象。要使这一切发生，只需要极其炎热的天气、极其丰富而美味的食物以及好几百年安逸的生活……黎巴嫩的雪松只不过是苔藓的一个变种，大象不过是蚜虫的一个变种。”他甚至认为食物的形状对动物的外貌也有影响，“这就是为什么鹿的脑袋上长着犄角，并且还保持着它所食用的树枝的形状”。

拉马克的观点一开始受到了大家的攻击，尤其是受到了居维叶的强烈批判，最终却被广为接受，至少在法国是这样。法国的博物学家因此找到了一种对抗达尔文思想的方式，不仅仅是因为沙文主义，当然沙文主义其实是很重要的一个因素。事实上，拉马克所提出的机制令人十分安心：动物需要一个器官，于是大自然就赐予它一个。这个仁慈的大自然与宗教学家所说的上帝十分相似。从这一角度看，拉马克的变化论与天主教教义十分吻合，只是它并不仅仅限于对《圣经》中的历史与事件做字面的解读。相反，达尔文提出的自然选择论认为大自然是没有情感的，一切都是因为偶然，至少在个体层面上如此。

如今，生物学家已经否认了动物因为自身的需要发生变形的假设。根据现在的进化论观点，因为偶然的变化，动物利用新出现的身体形态来发展新的行为方式，并不是“功能创造了器官”，而是“器官促使功能的发展”。但是，拉马克认为动物因环境的压力发生变形，极大地推动了进化论的普及，有益于揭示进化论与生态学之间的深刻关系。

拉马克认为，长颈鹿脖子之所以这么长，是因为它不停地去吃高处的树叶，这一观点如今已经不再为大家所承认。

怪物与突变

有希望的怪物

理查德·高兹施密特（Richard Goldschmidt，1878—1958），德国遗传学家，后加入美国籍，他并不确信进化总是缓慢、渐进的。他认为真正符合人体构造的新器官与“有希望的怪物”（hopeful monsters）的出现有关系。他以此来称呼某个发生了重要突变的生物个体，这一突变使其完全不同于自己的父母，从而获得了一种选择的优势。虽然是偶然出现的现象，但是恰好与进化论符合，这些新的特征又遗传给它的后代。因此，它就成了某种新物种的始源。这一观点看似有趣，但是高兹施密特最初的话语，即“有希望的怪物”，只是引起了同事的嘲笑而不是重视。他所说的宏观突变应该不太可能出现，它们不可能成形，也不可能成活。

“突变”这个词在日常用语中的含义与生物学家话语中的含义不一样。对于科学家而言，突变只是一种呈现出变形的机制，即 DNA 的变化。从这一观点看，我们每个人都是一个突变体，哪怕大部分时候表面看不出来，但是这绝对不是某个人的变形。突变发生在父亲的精子或者母亲的卵子中，突变体天生每个细胞都携带了这些新的基因。

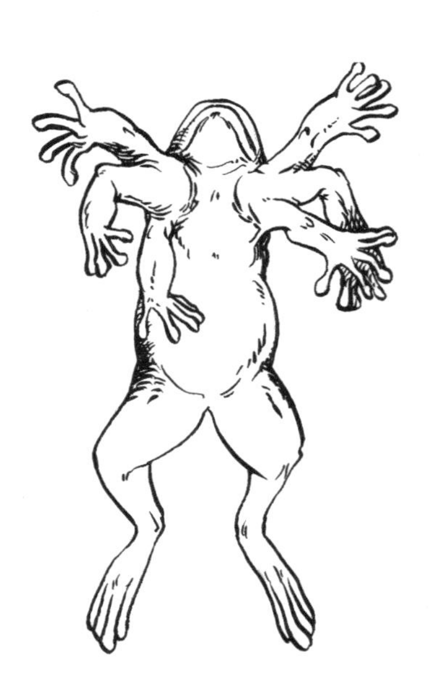

生长变化还是畸形，对于生物学家而言，差异非常重要，因为蛙怪的后代长什么样取决于此。

对于大众而言，“突变”通常用于形容变异者，即那些可以变形、具有“超能力”的个体，例如漫威漫画里的 X 战警，他们可以在短时间内随心所欲地变形。唯一符合生物学原理的地方在于，他们的特征可以遗传给后代。他们具有催生新人类的潜能，这正是他们故事的核心。说到底，这些虚构的突变者似乎比狼人更符合高兹施密特所说的“有希望的怪物”。

高兹施密特的著作《进化的物质基础》出版于 1940 年，书中提出的假设因为 DNA 的发现（1953 年）被推翻，他的其他观点也被遗传学家否定。但是在某些方面，古生物学家史蒂芬·J. 古尔德（1941—2001）却比较认可他的观点，古尔德对化石纪录在地层中存在明显断层（新物种的化石总是突然出现）这一现象提出了自己的理论，他部分地修正了达尔文的进化论。事实上，某些物种似乎的确是“突然”出现在世界上的，或者说它们在相对进化过程而言的较短时间内发生了变形。在他看来，与胚胎成长机制相关的简单突变可能会在成年人身上产生重要的影响。这些“同源性的变化”有可能迅速改变动物的内在结构，这是进化生物学领域中被研究得最多的课题之一，“有希望的怪物”从来就没有彻底消失！

双头动物是很经典的一种怪物，但是它从来就不是“充满希望的”。

MÉTAMORPHOSE RÉGRESSIVE DU POULET N° 212

小鸡的退化

我们的研究者越过科学的界限，把普通的小鸡变成了可怕的太古时期的蜥蜴。他们重新激活了先祖恐龙的基因，比如伶盗龙或者始祖鸟的身体特征，从而改变胚胎的发育。

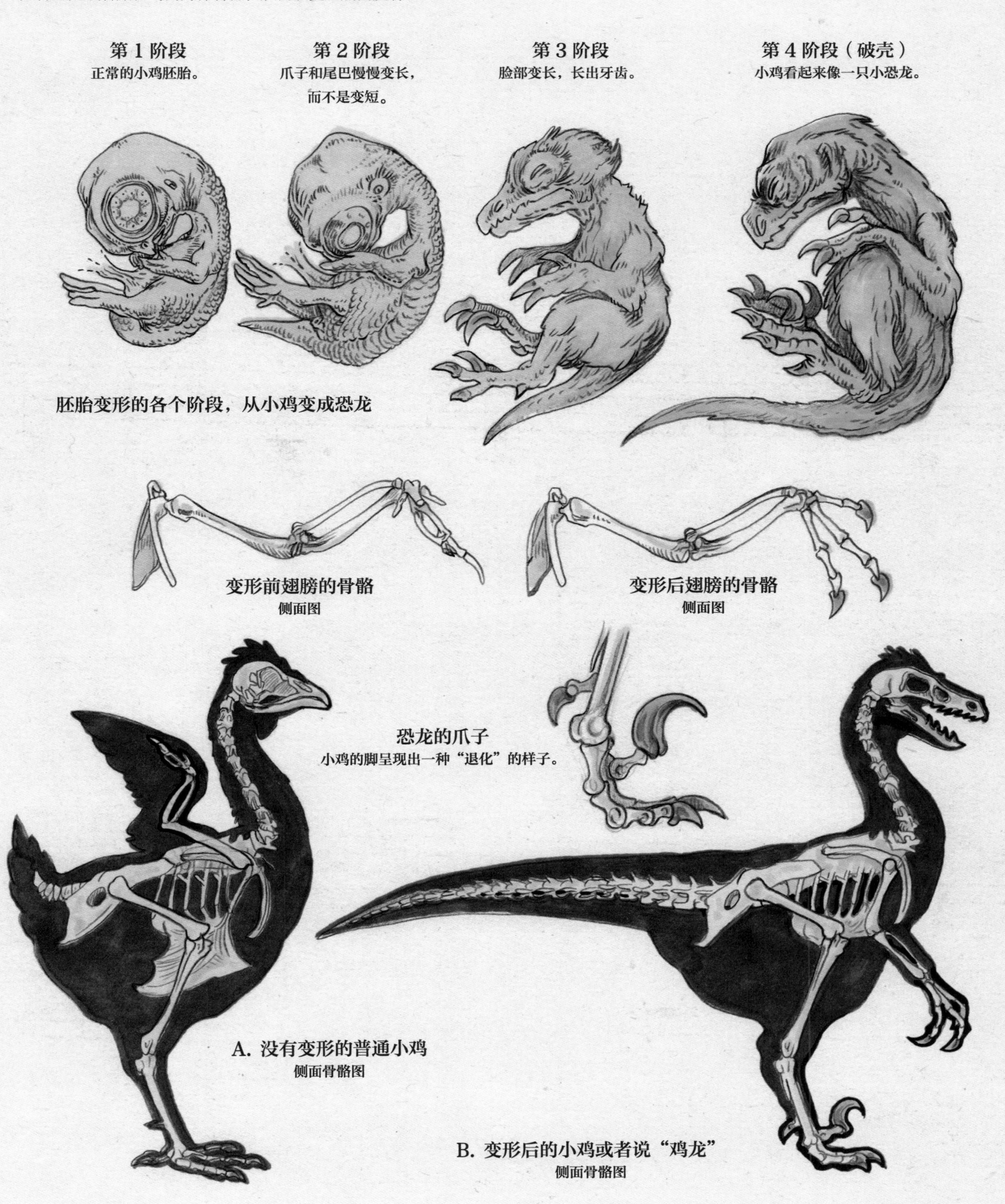

一般而言，人类并没有造物的能力，却改变了世界，并且让驯养的动物发生了变化。

家养动物

身体与精神

1841 年，伊西多尔·吉奥弗洛·圣－伊莱尔发现人类驯养家养动物的方式令人称奇，“就像是第二次造物”“人类把大自然列于其身边、冷漠或者敌对的动物变成了自己的奴隶、同伴，有时甚至是朋友”。驯化对于动物进化的意义，达尔文对此也很感兴趣，他认为，通过选择以及准确的杂交，饲养者成功实现了对猪的“彻底改造”。

但是，如何相信西方威严的白猪实际上承袭了野猪的一些特征呢？它们看起来完全不同，无论是体形、模样，还是鬃毛、颜色或者是行为。确定、区分动物时，动物学家的衡量标准并不关注动物外貌的相似性，而是关注潜在的杂交性。在猪这一案例中，实验的结果确定无疑，以至于杂交猪，即家养猪与野猪杂交的后代有时在森林里可以取代野猪。

有时家养的猪比野猪个头更大，牛的情况则不同，大部分家养的牛都比原牛小，原牛是家养牛的祖先，它的身体长度超过 2 米。至于家养的兔子，弗朗德勒的大野兔重达 10 千克，也就是最小的家养兔的体重的 10 倍，最初的家养兔的平均体重是 2 千克。

同样，从动物学角度看，所有的狗都属于同一种动物，它们有一个共同的祖先，那就是狼，虽然看起来狼至少经历了两次驯养，分别在亚洲与欧洲。这两个不同地方的狗又相互杂交，至少理论上如此，因为必须考虑到不同狗的不同身体特征。没有人会把一只圣伯纳犬与吉娃娃小狗交配，因为显然它们的体形不相配。不同的狗在体形、外貌、毛色以及行为等方面差别很大。人类是怎样把狼变成了如此多种各不

目前大约有 850 种绵羊，它们似乎来源于同一种野生羊。11000 年前被驯养的盘羊。

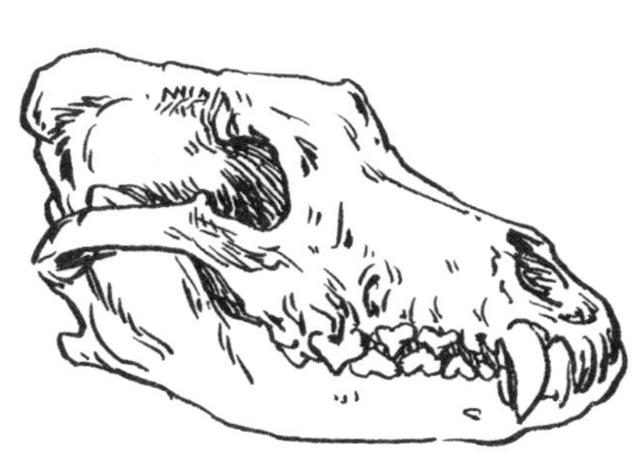
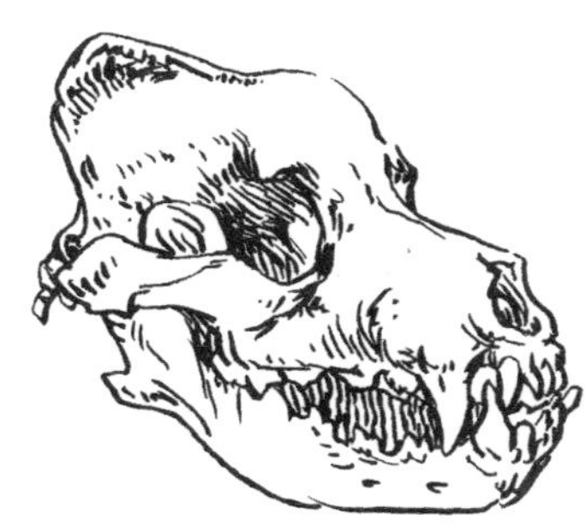
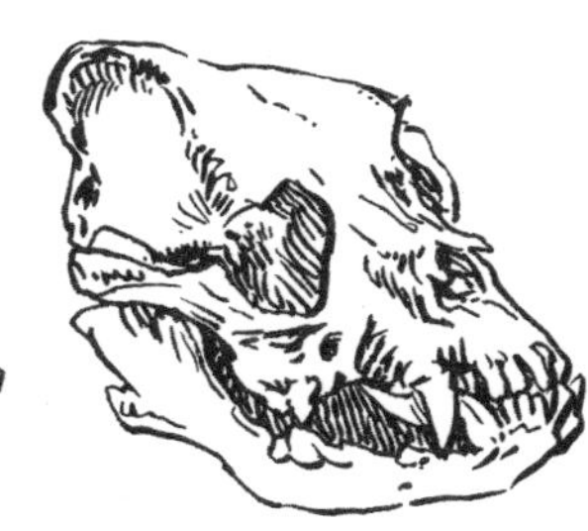
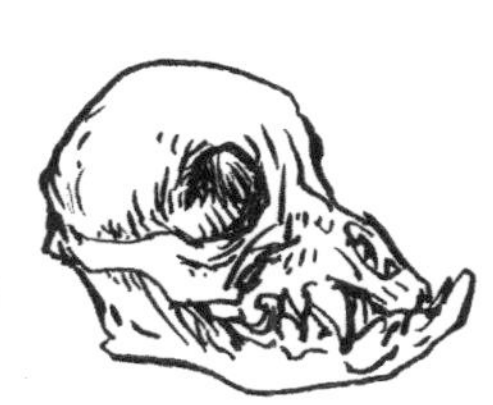
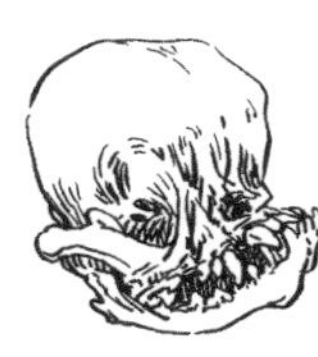

狼在被驯养的过程中发生的变形非常令人吃惊，但是狼的头骨结构（左）一直都保留在哈巴狗的头骨中（右），中间分别经历了圣伯纳犬、斗拳狗以及京巴犬这三个不同的形态。

相同的狗的呢？比如贵宾犬、阿图瓦短腿猎犬以及斗牛犬。

在驯养之初，最早的驯养者还未开始有意识地选择动物，但是动物本身就已经要面对诸多新的生存条件，逃脱追捕幸存下来的动物是那些可以忍受这样的生存方式以及可以忍受人类存在的动物。除了这一“自主”选择，还有驯养者进行的筛选，在繁殖期，驯养者肯定会很快淘汰某些动物，从而留下另外一些动物。他们选择留下最小的原牛和野猪，因为这些动物危险系数小，或者留下毛最长、最柔软的山羊。

无论是狗、猪，还是兔子、山羊，驯养都使它们出现了一些相似的特征，比如，有斑点的绒毛、低垂的耳朵，仿佛它们的变化都朝着同一个方向进展。从基因层面看，也可以认为毛色与动物的行为之间存在关联性，这是因为黑色素的作用，这种物质产生于基因控制的过程中，它会对毛色和行为产生影响。同样，如果变化触及甲状腺，那么就会产生体形更小、更安静的垂耳朵动物。

通过对银狐饲养的严格控制，一些俄罗斯生物学家曾试图重新构建狐狸的变化过程。他们尽力选择更不易紧张、对人类更友好的狐狸。不出十代，他们就培育出了长着斑点的狐狸，脾性友好，还会像狗那样摇尾巴。这种变形在野生动物的驯养过程中总是会出现，只需要几年时间就能实现！比起故事中的变形，这种变形并不是那么随性，但是比我们想象的要快很多。

家养斑点兔。

驯养让狼变成了狗。那么猴子变成了人，难道是因为人类的自我驯养？

可笑的讽刺形象、凶恶的影子抑或是最相近的表亲？猴子总是被比作人，大概是因为人本来就属于猴子的一种吧。

猴子

不受欢迎的表亲

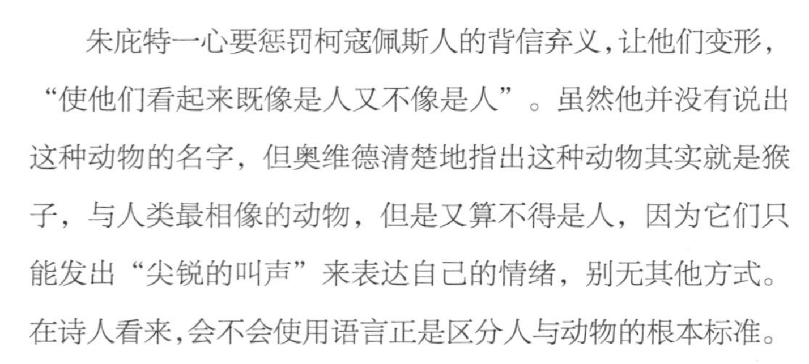

朱庇特一心要惩罚柯寇佩斯人的背信弃义，让他们变形，“使他们看起来既像是人又不像是人”。虽然他并没有说出这种动物的名字，但奥维德清楚地指出这种动物其实就是猴子，与人类最相像的动物，但是又算不得是人，因为它们只能发出“尖锐的叫声”来表达自己的情绪，别无其他方式。在诗人看来，会不会使用语言正是区分人与动物的根本标准。

对于大部分作家而言，人变身为猴子有一种特别的意义。19 世纪时，保罗·塞比约讲述了许多关于“二元式”造物的故事，魔鬼想要与上帝的造物工作竞争，但是最后只造出一些粗糙而可笑的复制品、质量低下的赝品或者“不祥的伪造物”：绵羊成了狼的样子，兔子成了黄鼠狼的样子，人则成了猴子的样子。并且，猴子的出现有时被认为是（上帝）第一次试图创造人的结果，可能是失败了或者没有完成的试验。这样的故事在布列塔尼广为流传，在那里，魔鬼的一个别称是 *marmouz Doué*，即“上帝的猴子”。

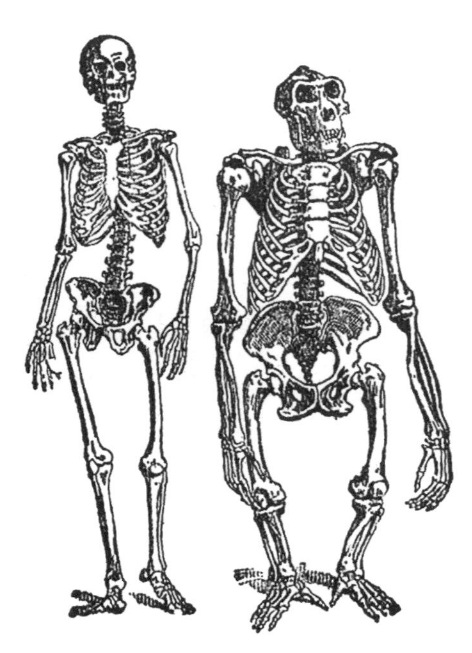

人类的骨骼和大猩猩的骨骼。动物学家会根据自己的目的故意选择凸显两者的相似性或者差异性。

作为“人类的讽刺形象”，猴子经常又被视作与人类最相似的动物，并不是因为进化论的观点。但是布封反对这一观点。他认为，猴子不如狗和大象聪明，“只需要好好训练狗和大象，就可以让它们明白温柔而细腻的情感，比如忠诚感、主动的顺从、免费的服务以及无私的奉献。因此与大部分动物相比，猴子是与人最不相似的动物……说到底，猴子本质上只是动物，表面看上去戴着人类的面具，但是内里根本没有什么思想，也没有任何人的特质”。猴子与人之间的相似性让人害怕，是因为它可能揭示了人类原初的模样。

不管怎样，这一相似性对于一个真诚的观察者而言十分确凿，它促使许多故事、神话讲述这种亲缘性的关系。有时认为人是从猴子变来的，比如在西藏，那里有一个非常著名的创世纪神话，它认为西藏最早的居民是两只猴子交合的后代。一只猴子叫作强久森巴，他是四臂观音的化身，另一只猴子叫作扎姆扎松，她是山里的吃人妖怪。因为想引诱他，所以她就变身为一只猴子。他们生了六只小猴子，这便是藏族的祖先。有时观点恰恰相反，认为猴子是从人变来的，通常是因为人类犯错受到惩罚，比如卡比利亚的一个故事讲述了一个小男孩因为听从造物之母的坏意见，所以被变成了猴子。

1616 年，意大利哲学家鲁西略·瓦尼尼发表了一个观点，他认为人类与动物有亲缘关系，这是“一种从最卑微的生物变成最高等的生物的渐变过程”。三年后，这位哲学家因“亵渎神明、无神论等罪行”遭受图卢兹议会的审判，他的舌头被拔掉，继而被火活活烧死。耶稣会士噶拉斯以对无神论者和异教徒的批判而令人生畏，他如此说道：“某些头脑正常的异教徒认为人是猴子交配的后代，之后受文明的教化，越来越完美，最终变成了人的样子……如果世界上有什么动物生下了人，那应该是猴子。瓦尼尼是历史上可恶至极的恶棍，姑且不论该隐、犹大或者卡波克拉这些人。”

瓦尼尼的命运解释了为何后来几个世纪的博物学家提到人类起源的问题时总是十分小心谨慎。19世纪时期，他们总算能稍微自由地创作一些东西，博物学为读者讲述的故事比一般的传奇故事更加有趣但是也更加扰人，因为那些故事很可能是“真实的”。因此，拉马克这样思考猴子如何变成了

依据亚里士多德的观点，黛拉·博达认为，如果人的耳朵与某种猴子的耳朵相似，那么这应该是一只淫荡的猴子（《人类的面貌》，1655）。

两足动物：“因为想要俯瞰世界，同时想要看得更远更广，猴子就尽力直立身体，一代一代，慢慢这就变成了一种习惯。”这些猴子占据了所有适宜它们生存的地方，阻止其他动物繁衍生存。最终，“这一已然获得对其他动物绝对统治权的优越物种在自己与其他最完美的动物之间造就了一种差异性，从某种程度上而言，这也是一种巨大的距离”。虽然此时的教廷已经失势，但是依然没有放松警惕，拉马克最后忽然突兀地总结说，这一切都与人无关，因为人类的起源不同。对此我们没有更多的了解，因为拉马克没有向读者再提供其他的解释。

50年后，达尔文将面对同样的问题，他也先描述、揭示了物种的进化。正是在1871年，即《物种起源》一书出版12年后，达尔文发表了专门研究人类进化的著作《人类的由来及性选择》。与大家认为的观点相反，他并没有写“人从猴子进化而来”，他显然知道，这种特定的猴子并不存在，人类并不是从现存的动物进化而来，也不是从大猩猩、长臂猿或者猕猴进化而来。他是这样写的：“人类是从某种长着

猴子具有模仿的能力，这经常被视作它们的特征之一，这种能力在人的身上也十分常见！

尾巴与尖耳朵的多毛哺乳动物进化而来，这种动物很可能曾经生活在古时的森林里。”一个半世纪以后，随着生物学以及古生物学的发现，这一观点依然成立。

在达尔文所处的时代，某些博物学家以及一部分读者接受他的理论，但是其他人则因此而愤怒，比如博物学家路易·阿嘎西，他认为“上帝的灵感不会这么贫乏，以至于为了创造一个富有理性的人，他不得不把一只猴子变成人”。这种丑闻让人类与前世的猴子联系在一起，当然，制造这一丑闻的达尔文并没有逃脱许多漫画家的讽刺，他们把他画成猴子，或者将其身体的某些部分画成猴子的样子。

人类区别于其他灵长类动物的地方在于大脚趾无法抓握。

蝴蝶、青蛙、美西螈，这些动物让人思考自身的变形，就好像我们人类也是某种生物的幼体状态，必然会变得更加完美！

超人类

超越成年人状态

“有一段时间，我一直都在思考美西螈。我经常去植物园看被安置在玻璃缸里的它们，待上几个小时观察它们，观察它们一动不动的样子以及轻微移动的样子。现在，我自己也成了一只美西螈。”1963年，胡利奥·科塔萨尔在他的短篇小说《美西螈》里如此描述自己变成墨西哥洞窟里的两栖动物：“我把脸紧贴着鱼缸，不停地用眼睛去揣测这些没有虹膜、没有眼睑的金色眼睛的秘密。我非常近地观察一只停留在鱼缸玻璃边的美西螈的脑袋。没有任何过渡，没有任何讶异，我看到自己的脸贴在玻璃上，而我从玻璃缸外面、从玻璃缸的另一边盯着它。”

成年后的美西螈依然保留着年幼时的鳃以及水生生活方式。

叙事者的灵魂已经进入了美西螈的身体，他看见自己以前的人类躯体慢慢消失，最终变成了美西螈的样子。这并不是真正的变形，而是人与动物之间两种意识的交换。这种情况让人觉得可怕，尤其美西螈并不是一种惹人喜爱的动物。科塔萨尔书写的可怕经历发生的时间距最初巴黎从墨西哥引进美西螈这一事件正好隔了一个世纪，当时这些美西螈被安置在巴黎自然博物馆的玻璃缸里。这种生活在地下河流中的蝾螈与其他同类有一种明显的区别性特征：当它慢慢成熟，能够进行繁殖时，它依然处于幼体状态，这种现象被称为幼态持续。因此，美西螈通常并不会发生变化！

与成年体相比，美西螈幼体的脑袋相对比身体要大一点，但是幼体都是四足动物。它们的变形比起蝌蚪的变形就没那么令人吃惊了。所谓的变形主要涉及呼吸方式，因为幼体使用鳃呼吸，而成年体则长着肺。其他方面的变化在于身体大小的变化，这与大部分动物差不多。成年的美西螈依然保留幼体时期的鳃，所以它们不会离开水。这种现象是因为它们身体的正常发育与生殖系统的成熟彼此脱节。但是这种非变形状态也不是绝对的：如果给它注射甲状腺激素，或者在特殊的生存条件下，美西螈就会和它的其他蝾螈同类一样发生变形，即完全变态。它会失去鳃，开始用肺呼吸。

同样的现象在其他种类的动物中也可以发现，尤其是在

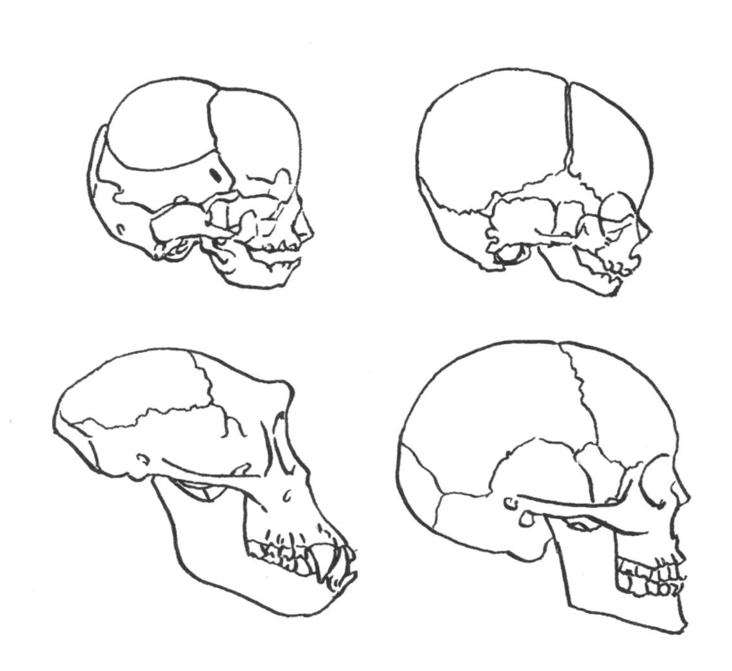

刚出生的大猩猩的颅骨与人类新生儿的颅骨十分相似，但是之后它的形态就发生了巨大的变化。而人类的颅骨虽然也慢慢变大，但是整体的样子基本没有变化。

灵长类动物身上。大猩猩出生时，脸很小，颅骨向前突出，这使得它看起来比成年的大猩猩更像人。之后，它的脸部慢慢变长，脸与颅骨相比显得特别大。两者之间的相对比例变化这么大，以至于可以将其视作一种变形。在人类身上，这一比例从新生儿到成年人也有一定的变化，但是成年人一直都保留着年幼时的样子——圆形的脑袋，小而平的脸。这一生长状态让人想起美西螈幼态的延续，正如 1926 年荷兰生物学家路易·伯克所提出的那样。

可是，人类是何种生物的幼态呢？如果人类的生长发育在 15 岁到 20 岁之间还不能结束，又会发生怎样的变化呢？人类是否会继续向着成年状态发展，最终变成所谓的“超成人”？就像大猩猩一样，可以想象人的脸以及下颌可能变得更大。美国的电影拍摄了许多超成人，或者说“超人类”，比如美国队长。他坚硬的下颌显然是因为过度的生长，但是与之同时发生的却是青春期的滞缓。这一人物对性十分谨慎，更加说明他身上的一种人类的幼态的延续。从好莱坞的观点看，美国队长这种与大猩猩的相似性可能是无意为之。

《美西螈》也是另一个与变形相关的故事的题目。这一故事创作于 1954 年，美国作家罗布特·阿贝纳西描写了一位宇航员的旅行，他是第一个被送上太空的人。因为宇宙射线的影响，他发生了变形，就像美西螈如果置身于合适的环境中会发生变形一样：“生物学家告诉我们人类只不过是一种发展迟缓的胚胎，一种慢慢衰老但是又永远不能抵达成年状态的胎儿。现在我明白个中缘由了，这是因为成熟所需的条件、命运发生转变的条件在地球上不存在。”主人公失去了手脚和肺，成了一个超人，通过心灵感应术，邀请他的未婚妻以及同事来太空与他会合，这样，他们的孩子就可以像他一样在星星之间游玩。

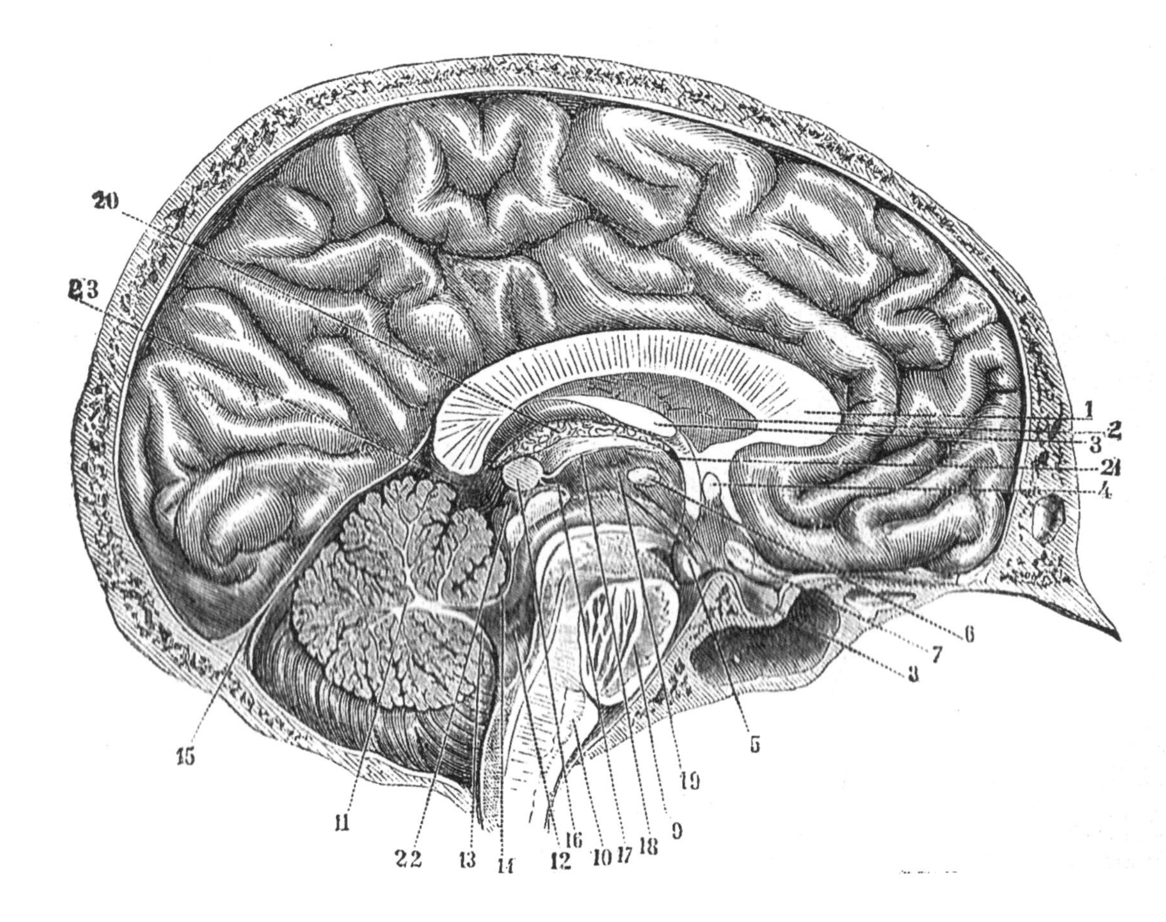

人类的大脑有时会被描述成世界上最为复杂的器官，这自然是一种推测。

谈过了动物与植物的变形，人类自己也很想变形，但是人类在变形时能将我们自身的人性保留下来吗？

未来人

梦想的变形

1756年，法国医生查理－奥古斯丁·范德蒙德提出要“完善人类”，正如当时依照饲养者的需求改变狗、牛或者马的品种一样，范德蒙德认为这些家养动物是通过物种之间的杂交得以改进的，所以他支持人种之间进行杂交，他认为人类可以从中获得好处。这位医生是法国最早主张人种改良的人，但他的种族主义倾向并不很强烈，不像他的后继者们，他们主张灭绝与他们不一样的人。另外，这位医生的作品其实是一部供父母使用的卫生手册，是为了让孩子能拥有一个健康的体魄，这实际上也的确有利于人类的“完善”。

当时，许多作家都深入探讨了这一话题。在书店可以发现以下这些书：《孕育、生养漂亮孩子的方法》，克洛德·吉耶著（1749年出版，翻译自1655年的一本英文著作）；《改进、完善人的艺术》，产科医生雅克－安德雷·米约著，他在1801年极力鼓吹“性别选择”，即如何选择孩子性别的艺术；《孕育的秘密，主动确定孩子性别的艺术，生育聪明、漂亮、健康、强壮的孩子的艺术》，莫雷·德·胡本普雷著于1829年。这些书本来是为了教育年轻的夫妇，但是经常会谈及人类的未来。

到了19世纪，这一话题变得越发重要，尤其当时曾经出现过“人类衰退”“人类变种”“人类灭绝”的恐慌。我们可以从医生贝内迪－奥古斯丁·莫雷写于1857年的《论人类身体、智力与道德的退化，以及引起这些不同病变的原因》中了解当时的状况。医生多少有些天真的理想反讽地与一些公然支持种族主义的作家——例如戈比诺、瓦谢·德·拉普热——的观点交织在一起，他们的著作在人种改良主义思想的发展过程中具有重要的作用。

军医查理·比内－桑格乐于1918年出版了《人种场》，书中他极力鼓吹理性的婚姻，主张“繁殖一定要符合严格的卫生学标准”。交配者一定要接受身体与智力的深入检查，然后集中到人种场，继而与“国家民族的精英以及外国的交配者”交配。根据他的统计数据，预计“4320名精英女性每年可以怀孕”。根据种马场观察到的结果以及对一些布列塔尼岛上居民的观察，他主张血亲交配甚至是乱伦关系，因为他确信“如果在性关系中有抵触情绪，最好还是避免发生性关系，孩子一定得是爱的结晶或者至少也应该是性欲的结晶”。显然，“通奸罪应当从刑法典中消失”，至少对于那些被许可的生育者而言应当如此。同时，他还主张“建立一个安乐死协会，在那里，疲于生活的退化者可以借助一氧化二氮，即笑气，实现安乐死”。只有这样，“人类生殖”才可以造就“强壮、平衡、智慧、充满能量以及仁慈的人”，从而避免“动物式交配产下的残次品：残疾人、病人、畸形人、罪犯、无纪律的人、宗教教徒、蛊惑人心的人、厚颜无耻的政治家、无能的领导者”……同样是这位作家还对杂志《医学进步》提出了批评。

并不是所有的人种改良主义者都会有这样极端的观点，但是许多人都支持达尔文的观点，虽然他们的阐释多少有些不准确。他们把自然选择理论用于人类社会，而达尔文向来都拒绝这样的做法，因为他认为人类的进化与利他主义思想的发展密切相关。相反，在那些人种改良主义者看来，尤其不应当去帮助穷人，无论是在经济上还是在医疗上，因为这样的行为违背了选择的“自然性”，这些人本应当灭绝。并且，因为这些人“生而”贫穷，他们比富人生养更多的孩子，所以他们只会让整个社会更加退化。人种改良主义者集结了仇外派以及极端自由主义者，共同反对穷人以及外来者。

当时，最受欢迎的人种改良宣扬者是阿雷克西·卡雷尔医生，他是1912年的诺贝尔医学奖获得者。在著作《人，这个陌生者》中，他阐释了自己的观点：“显然，每个种族都应当延续其最优秀的基因……人种改良主义可以极大地影响文明人的命运……事实上，那些从祖上遗传了疯癫、智障和绝症的人不应当结婚……”他希望能借助一种“自觉自愿的人种改良主义”建立一个“生物遗传的贵族阶级”。

1900至1939年间，人种改良主义的相关法律在某些国家被通过，比如美国、挪威、瑞士，当然还有纳粹德国。成千上万的人被屠杀，包括罪犯、酗酒者、精神病人，以及患有其他疾病或天生畸形的人。第二次世界大战期间，纳粹施行“积极的”人种改良计划，推动所谓的合法的结合，以此来完善日耳曼民族。好几千名孩子出生在生命之泉[1]，这是一项旨在缔造“纯净的雅利安”血统的优生优育计划。

战争结束后，由人种改良主义引发的恐怖使其完全失去了“进步的”色彩。然而，种族清洗运动在很长时间内一直存在，美国一直持续到1972年，瑞典一直持续到1976年。

到目前为止，改变人类这一想法一直很兴盛。人种改良主义的势头依旧很强大，既是为了攻破严重的遗传病，也是为了促进“优质”宝宝的出生。但是这两种情况下，期待通过改变胎儿的基因取得进步的想法并不现实，并且很危险，尤其是因为潜在的不可预测的或者被低估的严重后果。

但是这些改良项目并不止于遗传学。科学技术为我们展现了新的改良人种的方法，既是生物的又是技术的。生物技术、纳米技术、信息学以及神经科学相互结合，通过身体组织的无限繁殖、智力与身体能力的极大提高，为我们展现了人类超乎寻常的变形的远大前景。

几年前开始，这一“超人类”的概念侵占了电影领域、文学领域以及跨国医药实验室。通过移植自体组织的细胞可以“修复”人的身体，就像移植芯片一样，这预示着“强化人”出现的可能性，他的大脑将被连接到一台超级电脑上，而身体则由外骨骼支持。在超人类主义先行者看来，这种自我－变形将与机器的“人性化”结合在一起，机器将拥有自我意识，并且能够做出理性的选择、感受到情感。

当然，并不是所有人都相信如此“光明的”未来。某些技术手段目前还没有办法实现。而且，如果这种变形只触及精英，那么它最终会导致一种新的人种改良主义。

即使某些生物技术的研究看似前途一片光明，它们也不太可能解决大部分人在日常生活中遇到的困难，或者是全球性的生态、外交问题。随着医学与技术的进步，我们可以设想另一种变形，更加适度的变形，既是个人的也是集体的，它会让我们改善自己与周遭世界、与其他动物的关系，它也会让我们改变对自身的看法、对别人的看法以及对人与人之间关系的看法。

自我修复、自我生长的人……

1 生命之泉（德语：Lebensborn e. V.）是纳粹德国的一个党卫队和具政府背景的注册机构，成立于1935年，其目标是按照纳粹种族优生理论进行试验，以提高“雅利安人”子女的出生率。生命之泉安排未婚妇女匿名生育，并让这些孩子由“种族纯洁健康”的父母领养，这些孩子大多被送至党卫队成员的家庭中。

作者简介

让－巴普蒂斯特·德·帕纳菲厄 | Jean-Baptiste de Panafieu

虽然让－巴普蒂斯特·德·帕纳菲厄并没有亲身经历过可怕而彻底的变形，比如像蛹那样的变形，他还是有过许多类似于蜕变的经历，尤其是在青春期快结束时，身体毛发忽然生长，眼镜成了必需的随身物品，以及在这段时期内，他放弃了自然科学教授的工作，成了一位科普作家。

之后，他出版了60多本关于自然与科学的著作，主要是写给青少年或者普通读者看的书。他同时还策划展览、设计版图游戏、创作剧本以及科幻小说、做讲座，所有这些都围绕他自己喜欢的主题展开，比如进化、史前史、生态学、食品或者动物。

最近出版的著作

－《醒来》，Gulf Stream，2016

－《善于欺骗的动物》，Gulf Stream，2016

－《帽子，脑袋！》，Casterman，2015

－《进化大冒险》，Milan，2014

－《博物学家的神秘动物图鉴》，Plume de Carotte，2014

－《骨骼史》，Gallimard，2012

－《人－兽，内在的动物园》，Gulf Stream，2010

－《演化》，Xavier Barral，2011

卡米耶·让维萨德 | Camille Renversade

卡米耶·让维萨德是“奇幻学家公子”（*Dandy chimaerologicu*[1]）家族多才多艺的艺术家，但如今他也是这个家族唯一的代表，他思维活跃，充满好奇心，对探险怀着炽热的渴望，浑身长着浓密的体毛，可以适应任何可怕的环境。他生而孤独又暴躁，绝对不能忍受任何形式的控制，但是如果你能顺着他的脾气，他还是很容易接受驯养。

他定居在里昂，但是他的“狩猎场”从南极一直延伸至北极，包括所有的大陆和赤道地区，不要忘了还有康达明区月牙形的火山口。他喜欢吃各种奇怪的肉，生吃或者风干后吃，他主要抓捕隐生动物学收录的各种珍奇动物，他试图培养对长毛动物的特殊情感，比如喜马拉雅山的雪怪以及草原上的小型猛犸。另外，他被认为是让渡渡鸟灭绝的罪魁祸首，他现在正在尽力通过各种方式重新创造这种动物，好让自己少受一些悔恨的折磨。

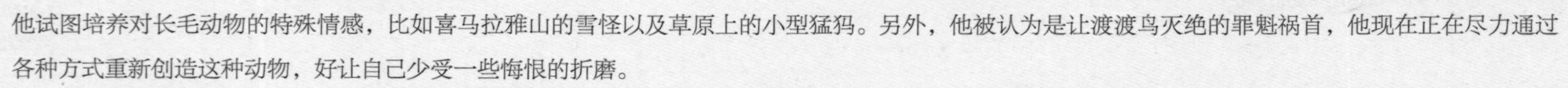

他是两栖动物，他去海洋探险，寻找美味的海上怪物，寻找斯戴夫·兹苏[2]的潜水艇，他是兹苏最疯狂的粉丝。

某些作家，比如皮埃尔·杜布瓦、里约内·伊尼亚、弗雷德里克·里萨克以及让－巴普蒂斯特·德·帕纳菲厄，终于与卡米耶·让维萨德在关注自然的出版界走到了一起。甚至连著名的古生物学家埃里克·布非多也冒险靠近他，当时他看到卡米耶·让维萨德在古生物博物馆附近画渡渡鸟的翅膀，无论是在橱窗里还是在聚光灯下，这种鸟看起来都很自然。在凡森·玛丽耶特的电影《忧伤俱乐部》中，这种鸟在创作者的笔下成了影片重要的背景，不知不觉名声大了起来。

各种机缘巧合，卡米耶·让维萨德和一些自己的同类结下了友谊，他们一起出去捕猎。他尤其经常出现在布洛瓦，这是“魔术家公子”（*Dandy magicianis*）家族多米尼克·马盖的领土。离开兰多路时，他乔装打扮，被人发现与女歌手丽思在一起。他受到可怕的诅咒，被变成狼人，后来又被一个耍熊的人捉住。他在巴黎驯化园的露天场地被展览，不得不像食草动物一样自己找东西吃，就这样度过了两星期，被迫与阮芊菡——一位“台湾冲印摄影师”家族的年轻代表住在一起。最后，他终于被一群专家带回了里昂。在孔弗吕恩斯博物馆建立一周年之际，他被介绍给大众，旁边还站着布朗什·贝特里耶，他的女性同类，还有达米扬·里戈。最后，在姐姐阿奈·让维萨德的协助下，他开始投身于格勒诺布尔自然博物馆的一项展览，这次展览的名字与他个人特殊的动物性非常吻合：“怪物般的他们，你觉得正常吗？”

出版著作

－《博物学家的神秘动物图鉴》，Plume de Carotte，2014

－《奇物馆，孔弗吕恩斯博物馆展览目录》，Flammarion，2014

－《狼的诅咒》，Petite Plume de Carotte，2012

－《海洋怪物》，Petite Plume de Carotte，2011

－《神奇草木》，Plume de Carotte，2010

－《龙与吐火怪物，探险纪事》，Hoebeke，2008

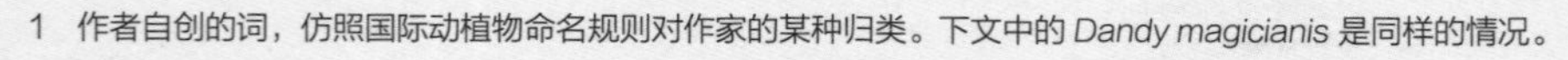

1 作者自创的词，仿照国际动植物命名规则对作家的某种归类。下文中的 *Dandy magicianis* 是同样的情况。

2 Steve Zissou，美国电影《水中生活》的男主角，他是一位海洋学家。